BITÁCORA
NUEVA EDICIÓN
3

**Curso
de español**

MP3
descargable

María Dolores Chamorro
Pablo Martínez Gila
Jaume Muntal

Cuaderno de ejercicios

CRÉDITOS

Autores
María Dolores Chamorro
Pablo Martínez Gila
Jaume Muntal

Coordinación pedagógica
Agustín Garmendia, Neus Sans

Revisión pedagógica
Jaume Muntal

Coordinación editorial
Emilia Conejo

Diseño gráfico y maquetación
Grafica, Pedro Ponciano

Ilustraciones
Juanma García Escobar excepto: Manel Fontdevila (pág. 116)

Corrección
Sílvia Jofresa

Grabación CD
Difusión
Locutores: Antonio Béjar, Iñaki Calvo, Gloria Cano, Emilia Conejo, Bruna Cusí, Luis García Márquez, Agustín Garmendia, Pablo Garrido, Javier Llano, Noemí Martínez, Xavier Miralles, Carmen Mora, Edith Moreno, Núria Murillo, Amaya Núñez, Raquel Ramal, Paco Riera, Neus Sans, Josefina Simkievich, Sergio Troitiño

Agradecimientos
Antonio Béjar, Ludovica Colussi, Carolina Domínguez, Pablo Garrido, Teresa Liencres, Eva Llorens, Edith Moreno, Emilio Marill, Carmen Mora, Clara Serfaty, Sara Torres, Sergio Trotiño

MIXTO
Papel procedente de fuentes responsables
FSC™ C134275

Cubierta Tifonimages/Dreamstime, Pepe14/Dreamstime, Sergey Rusakov/Dreamstime **Unidad 0** pág. 12 Piksel/Dreamstime, pág. 14 Carlosvelayos/Dreamstime, Ron Lima/Dreamstime, www.casadellibro.com, Pixattitude/Dreamstime, Pavalache Stelian/Dreamstime, pág. 16 cvc.cervantes.es, pág. 17 www.rae.es **Unidad 1** pág. 22 Agencyby/Dreamstime, pág. 23 Wolfgang Grossmann/Dreamstime, pág. 26 Jeewee/Dreamstime, pág. 27 Brett Critchley/Dreamstime, pág. 30 Michael Brown/Dreamstime, pág. 31 Professor Film **Unidad 2** pág. 33 YheCollectorF/Flickr, pág. 36 Brad Sauter/Dreamstime, barbie-pretty. blogspot.com.es, Qtrix/Dreamstime, pág. 37 Photaki.com, pág. 38 esacademic.com, Jon Helgason/Dreamstime, taringa.net, Photawa/Dreamstime, Wolfgang Grossmann/Dreamstime, pág. 39 Jose Wilson Araujo/Dreamstime, youtube.com, hobbyconsolas.com, articulo.mercadolibre.com.ar, segundamano.es, Gemenacom/Dreamstime, www.marionetasporcorreo.com, pág. 41 Professor Film **Unidad 3** pág. 44 Wolfgang Grossmann/Dreamstime, Photaki.com, pág. 45 Tomboy2290/Dreamstime, cariokaal.blogspot.com.es, pág. 47 Juan Manuel Ordonez/Dreamstime, pág. 48 Dreambigphotos/Dreamstime, pág. 49 Elena Elisseeva/Dreamstime, pág. 50 TinaFields/istock, pág. 52 Valentyn75/Dreamstime, okdiario.com, pág. 53 Professor Film **Unidad 4** pág. 54 Lian2011/Dreamstime, pág. 57 Adina Nani/Dreamstime, pág. 59 desdelaquintaplanta.blogspot.com, pág. 60 Wolfgang Grossmann/Dreamstime, museoreinasofia.com, pág. 63 Johan Hansén/Dreamstime, pág. 64 Wolfgang Grossmann/Dreamstime, pág. 67 Professor Film **Unidad 5** pág. 69 Nikita Rogul/Dreamstime, pág. 71 Studiovespa/Dreamstime, pág. 72 Wolfgang Grossmann/Dreamstime,

pág. 74 Nikada/istock, pág. 75 Wolfgang Grossmann/Dreamstime, pág. 76 Alanbrito/Dreamstime, pág. 77 Martín Carril **Unidad 6** pág. 78 Julien Tromeur/Dreamstime, pág. 82 Wolfgang Grossmann/Dreamstime, pág. 83 Bet_Noire/istock, pág. 85 Svetl/istock, pág. 87 Chris Dorney/Dreamstime, pág. 88, Portra/istock, pág. 91 Professor Film **Unidad 7** pág. 92 Thomas Tolstrupu/Getty Images, pág. 94 Wolfgang Grossmann/Dreamstime, pág. 96 Wolfgang Grossmann/Dreamstime, Emilia Conejo, pág. 103 Professor Film **Unidad 8** pág. 105 Erik Lam/Dreamstime, pág. 107 arianarama/istock, janetleerhodes/istock, eurobanks/istock, DMEPhotography/istock, ArtMarie/istock, ballero/istock, ajr_images/istock, pág. 112 Dml5050/Dreamstime, Pavel Losevsky/Dreamstime, Waroot Tangtumsatid/Dreamstime, Redbaron/Dreamstime, pág. 114 Quintanilla/Dreamstime, Tupungato/Dreamstime, Professor Film **Unidad 9** pág. 120 Wolfgang Grossmann/Dreamstime, pág. 121 Javiercorrea15/Dreamstime, Rui Matos/Dreamstime, Asafta/Dreamstime, pág. 122 Pixbox77/Dreamstime, pág. 123 Wolfgang Grossmann/Dreamstime, pág. 124 Gabrielalupu/Dreamstime, pág. 125 Wolfgang Grossmann/Dreamstime, pág. 126 Wolfgang Grossmann/Dreamstime, pág. 129 Professor Film **Unidad 10** pág. 130 Luis García Márquez, pág. 135 Difusión, pág. 125 Omar San Martín y Cecilia Requena, pág. 140 Jakubzak/Dreamstime, Michał Rojek/Dreamstime, Miriam Sajeta, pág. 141 Wolfgang Grossmann/Dreamstime, pág. 143 web.frl.es/CORPES/view/inicioExterno.view, Elena Feduchi **Unidad 11** pág. 147 Wolfgang Grossmann/Dreamstime, Filmaffinity.com, Elmulticine.com, Sensacine.com, pág. 151 Difusión, pág. 153 www.calamaro.com, pág. 157 Madrid Media

difusión
Centro de Investigación y Publicaciones de Idiomas, S. L.

C/ Trafalgar, 10, entlo. 1ª
08010 Barcelona
Tel. (+34) 93 268 03 00
Fax (+34) 93 310 33 40
editorial@difusion.com

www.difusion.com

CUADERNO DE EJERCICIOS
BITÁCORA 3 NUEVA EDICIÓN

En este cuaderno te proponemos una amplia selección de actividades destinadas a reforzar y a profundizar en el trabajo hecho con el Libro del alumno. La mayoría de los ejercicios se pueden resolver individualmente, pero también hay actividades que se deben realizar en clase con uno o más compañeros porque están destinadas, principalmente, a reforzar la capacidad de interactuar oralmente. En las páginas siguientes te explicamos la estructura del cuaderno en detalle.

Recursos gratis para estudiantes y profesores en
campus difusión

UNIDADES 0 A 11

EJERCICIOS COMPLEMENTARIOS DE LOS DOSIERES, AGENDAS DE APRENDIZAJE Y TALLERES DE USO

Una amplia gama de ejercicios complementan los dosieres 01 y 02 de cada unidad del Libro del alumno. Te ayudarán a **preparar la lectura y las audiciones** o a **consolidar los diferentes contenidos**.

También hay actividades que complementan la Agenda de aprendizaje. En ellas se proponen **nuevos contextos que invitan a usar de forma reflexiva y significativa las estructuras presentadas**.

En cada unidad encontrarás:

• **Ejercicios de gramática** para reflexionar y profundizar en el funcionamiento de la lengua y para automatizar algunos aspectos formales, en especial de cuestiones morfológicas y sintácticas. En estos casos, hemos considerado siempre un uso contextualizado y significativo de esas formas y hemos evitado los ejercicios de pura manipulación.

• **Comprensiones auditivas** que plantean actividades con documentos orales y trabajo con transcripciones, destinado a observar de manera específica las formas y los recursos de la lengua oral. Están señalizadas con el icono 🔊 1.

• **Actividades de escritura individual o cooperativa** que posibilitan un nuevo uso de los contenidos léxicos, gramaticales y pragmáticos de la unidad.

• Ejercicios de observación de **cuestiones fonéticas**, de discriminación y de práctica de la **pronunciación**.

• **Actividades de interacción oral** para realizar en pareja o en grupo. Están señalizadas con el icono 👥.

• **Actividades para practicar recursos útiles** en la clase de español. Están marcadas con el icono 👆.

• **Actividades de mediación** entre el español y tu lengua u otras que conoces.

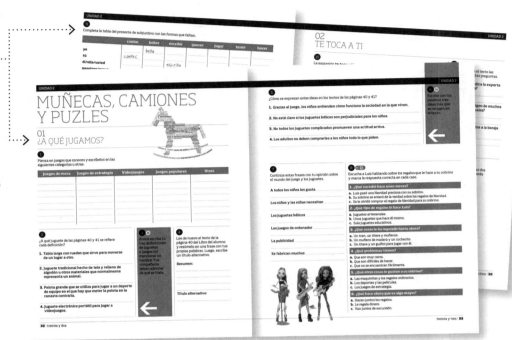

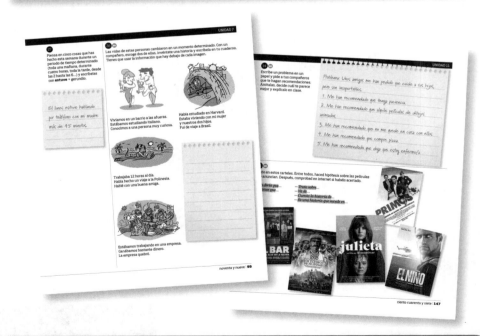

Descárgate los audios en
http://bitacora.difusion.com/audios3ce.zip

ARCHIVO DE LÉXICO

Si en las páginas del Libro del alumno, especialmente en el Archivo de léxico, has descubierto el vocabulario en contexto y has reflexionado sobre su significado y funcionamiento, en esta sección del Cuaderno encontrarás **ejercicios muy variados (clasificar palabras, buscar relaciones, recuperar, memorizar, etc.) que te servirán para retener las unidades léxicas** más importantes de la unidad.

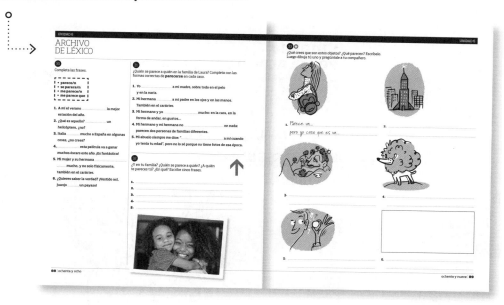

VÍDEO

Al llegar al final de la unidad, puedes volver a ver el vídeo y trabajar con él de manera más detallada. Verás que eres capaz de comprender muchas más cosas y **podrás así comprobar lo que has aprendido a lo largo de la unidad**.

ÍNDICE

UNIDAD 0
COMPAÑEROS DE CLASE

01 VALERIA: VIAJAR, AMIGOS...   **P. 10**

02 PLE, ENTORNO PERSONAL...   **P. 17**

UNIDAD 1
POR PLACER O POR TRABAJO

01 COMUNALIA: EL BANCO DEL TIEMPO   **P. 18**

02 GANARSE LA VIDA   **P. 23**

ARCHIVO DE LÉXICO   **P. 30**

VÍDEO   **P. 31**

UNIDAD 2
MUÑECAS, CAMIONES Y PUZLES

01 ¿A QUÉ JUGAMOS?   **P. 32**

02 TE TOCA A TI   **P. 35**

ARCHIVO DE LÉXICO   **P. 40**

VÍDEO   **P. 41**

UNIDAD 3
RICO Y SANO

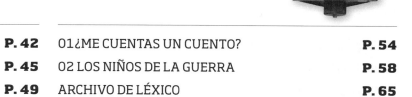

01 ORIGEN: ESPAÑA	**P. 42**
02 EL ÉXITO DE LA COCINA PERUANA	**P. 45**
ARCHIVO DE LÉXICO	**P. 49**
VÍDEO	**P. 53**

UNIDAD 4
LA HISTORIA Y LAS HISTORIAS

01 ¿ME CUENTAS UN CUENTO?	**P. 54**
02 LOS NIÑOS DE LA GUERRA	**P. 58**
ARCHIVO DE LÉXICO	**P. 65**
VÍDEO	**P. 67**

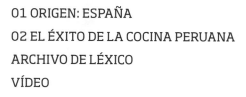

UNIDAD 5
CIUDADES Y PUEBLOS

01 ¿CAMPO O CIUDAD?	**P. 68**
02 CIUDADES INTELIGENTES	**P. 72**
ARCHIVO DE LÉXICO	**P. 75**
VÍDEO	**P. 77**

ÍNDICE

UNIDAD 6
¿CIENCIA O FICCIÓN?

01 LOS ROBOTS DEL FUTURO — **P. 78**

02 EL FUTURO SEGÚN LA CIENCIA FICCIÓN — **P. 82**

ARCHIVO DE LÉXICO — **P. 88**

VÍDEO — **P. 91**

UNIDAD 7
INSUFICIENTE, NOTABLE Y SOBRESALIENTE

01 DIARIO DE UN MAESTRO — **P. 92**

02 GRANDES CAMBIOS EN LA VIDA — **P. 97**

ARCHIVO DE LÉXICO — **P. 101**

VÍDEO — **P. 103**

UNIDAD 8
SEGUNDO DERECHA

01 LA VUELTA AL MUNDO EN 80 SOFÁS — **P. 104**

02 AQUÍ NO HAY QUIEN VIVA — **P. 109**

ARCHIVO DE LÉXICO — **P. 115**

VÍDEO — **P. 117**

UNIDAD 9
SANIDAD, EDUCACIÓN Y CULTURA

01 FELICIDAD NACIONAL BRUTA   **P. 118**
02 COLOMBIA: UN RETRATO   **P. 122**
ARCHIVO DE LÉXICO   **P. 128**
VÍDEO   **P. 129**

UNIDAD 10
¿ENFADADO O DE BUEN HUMOR?

01 ¿TE LO TOMAS CON CALMA?   **P. 130**
02 Y, SIN EMBARGO..., TE QUIERO   **P. 135**
ARCHIVO DE LÉXICO   **P. 140**
VÍDEO   **P. 143**

UNIDAD 11
VER, LEER Y ESCUCHAR

01 UNA PELI GENIAL   **P. 144**
02 MI VIDA EN CANCIONES   **P. 150**
ARCHIVO DE LÉXICO   **P. 155**
VÍDEO   **P. 157**

COMPAÑEROS DE CLASE

01
VALERIA: VIAJAR, AMIGOS...

Completa esta lista con palabras de la imagen del Libro del alumno
y añade dos cosas más a cada categoría.

1. ver	2. escuchar	3. consultar
series,		
4. mejorar	**5. aprender a**	**6. corregir**
7. tengo dudas de	**8. me resulta difícil**	**9. quiero**

Marca en la lista el grado de dificultad que tienen para ti las siguientes
actividades en español. Coméntalo con tus compañeros.

	Me resulta fácil	Me cuesta un poco	Me resulta difícil	No lo he hecho nunca
1. Escribir un sms.	☐	☐	☐	☐
2. Usar *whatsApp* u otra aplicación de mensajería instantánea.	☐	☐	☐	☐
3. Preparar una presentación.	☐	☐	☐	☐
4. Ver películas en V.O.	☐	☐	☐	☐
5. Ver las noticias en la tele.	☐	☐	☐	☐
6. Entender las noticias en la radio.	☐	☐	☐	☐
7. Entender las letras de canciones.	☐	☐	☐	☐
8. Participar en una conversación con españoles.	☐	☐	☐	☐
9. Entender los chistes.	☐	☐	☐	☐

3

Completa las frases con la palabra correcta del recuadro. Luego marca las frases con las que te identificas.

```
• gustaría          • siento
• cuesta/n          • vergüenza
• fácil/es          • muy bien
• difícil/es        • seguro
• resulta/resultan  • inseguro
```

☐ **1.** Me siento .... cuando tengo que hablar por teléfono, me pongo muy nervioso.

☐ **2.** Me .... mucho entender las telenovelas hispanas.

☐ **3.** No me .... difícil entender los menús de los restaurantes, tengo mucho vocabulario de comidas y bebidas.

☐ **4.** Me .... muy bien cuando puedo participar en una conversación entre españoles.

☐ **5.** A veces, los ejercicios gramaticales me parecen un poco ...., necesito más tiempo para resolverlos del que tengo en clase.

☐ **6.** Siento .... cuando tengo que hacer una presentación oral, me pongo rojo.

☐ **7.** Me .... hablar con más precisión, como hago en mi lengua materna, pero sé que para eso necesito más tiempo.

☐ **8.** Las audiciones de clase no me .... difíciles, es más fácil que entender a la gente de la calle.

4

¿Qué otras lenguas extranjeras estudias o has estudiado? Completa esta ficha con tu información sobre una de ellas. Si quieres, puedes hacer una ficha por cada lengua que has estudiado.

Lengua: ....

Nivel: ....

Certificado obtenido / Año: ....

Estudio/estudié .... **por** ....

.... **porque** ....

Qué sé hacer en esta lengua:

LEER: ....

ESCRIBIR: ....

ESCUCHAR: ....

HABLAR: ....

Qué me cuesta hacer en esta lengua:

LEER: ....

ESCRIBIR: ....

ESCUCHAR: ....

HABLAR: ....

5 🔊 **1**

Elisa y su amigo Martín están mirando fotos de este último. Escucha su conversación y contesta las preguntas.

1. ¿Cuándo y dónde conoció a su novia?

....

2. ¿Qué está aprendiendo en la actualidad?

....

3. ¿Qué va a hacer Martín dentro de un mes?

....

4. ¿En qué momento se emocionó mucho?

....

5. ¿Qué personas son muy importantes para Martín? ¿Por qué?

....

6

Haz tu propio acróstico. Para ello, escribe tu nombre en vertical. Luego piensa en palabras en español que empiecen con cada una de las letras. Elige palabras que te gusten especialmente (por su sonido, por su significado, porque te traen buenos recuerdos, etc.). Luego coméntalo con un compañero. Si quieres, puedes escribir un texto con ellas.

7

Aquí tienes la agenda de Rosa para esta semana, con sus actividades y planes.
Léela y forma frases usando **estar** + gerundio / **ir** + **a** + infinitivo. Luego escribe tres frases con las actividades que estás haciendo actualmente y tres con tus planes.

Lunes	Martes	Miércoles	Jueves	Viernes	Sábado	Domingo
8.00-10.00 Clase de japonés 10.00 Comprar en el mercado bio	19.00 Clase de salsa	8.00-10.00 Clase de japonés 10.00-12.00 ¡Autoescuela!	10.00-12.00 ¡Autoescuela! 20.00 Curso de fotografía	9.00 Hacer ejercicios de japonés Revisar gramática para el test 21.00 cena con Emma y José: ¡¡llevar guías para el viaje!!	Comprar regalo 19.00 Casa de Rodrigo: decorar fiesta sorpresa 21.00 Cumpleaños de Rodrigo	Excursión a la Costa Brava ¡Comida en el chiringuito! Comprar billetes de avión a Tokio!

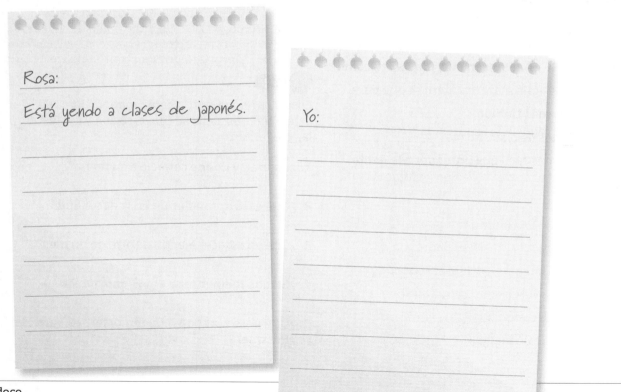

Rosa:

Está yendo a clases de japonés.

Yo:

8

¿Qué tiempo verbal es el más adecuado en estas frases? Escoge una opción para cada caso.

1. La civilización maya

a. ha empezado a desarrollarse en la península de Yucatán hace 6 000 años.
b. empezó a desarrollarse en la península de Yucatán hace 6 000 años.

_____ _____

2. Mi abuela Ernestina

a. se ha casado con su primer marido a los 18 años.
b. se casó con su primer marido a los 18 años.

_____ _____

3. Mi esposa y yo

a. vivimos en esta casa hasta este mismo mes.
b. hemos vivido en esta casa hasta este mismo mes.

_____ _____

4. Cristóbal Colón

a. viajó cuatro veces a América: en 1492, 1493, 1498 y 1502.
b. ha viajado cuatro viajes a América: en 1492, 1493, 1498 y 1502.

_____ _____

5. El año pasado

a. he trabajado seis meses en una pizzería.
b. trabajé seis meses en una pizzería.

_____ _____

6. El año pasado, mi amigo Cirilo

a. fue a la playa por primera vez.
b. ha ido a la playa por primera vez.

_____ _____

9

Subraya la opción correcta en cada una de las siguientes frases.

1. Antes no me **gustaba**/**gustó** ir en bici. Ahora que vivo en el campo, me encanta.

2. **Estuve**/**estaba** seis meses en París, pero no aprendí nada de francés.

3. ¿Por qué llegaste tarde a la reunión de ayer? Es que **perdí**/**perdía** el tren.

4. Ayer escuché el último disco de Rocío Márquez y me **encantaba**/**encantó**.

5. Acabó la carrera de Psicología y después **empezaba**/**empezó** a trabajar en el consultorio de su padre.

6. Cuando éramos pequeños, **pasamos**/**pasábamos** un verano en el pueblo de nuestros abuelos maternos.

7. ¿Cuándo **conocías**/**conociste** a Ernesto? Pues el año pasado, en Málaga.

10

Escribe una breve autobiografía, poniendo especial atención a los tiempos de pasado. Luego intercambia tu texto con tu compañero. ¿Tenéis cosas en común? Después, corregíos mutuamente los errores (ortografía, gramática, vocabulario, etc.).

Nací en _____
....
....
....
....
....
....
....

11

¿Cómo reaccionarías a estas intervenciones utilizando el imperativo?

1. ¿Qué tengo que hacer para mejorar mi nivel de inglés?	**a.** Para eso, ...
2. Perdón, ¿puedo pasar?	**b.** Sí, sí. ....
3. ¿Cómo puedo encender el ordenador?	**c.** Es muy fácil: ....
4. No sé, ¿me queda bien esta camisa?	**d.** Sí, sí, te queda bien. ¡...!
5. ¿Te importa si cierro la ventana?	**e.** No, no. ....
6. ¿Sabes qué me pasó ayer en el cine?	**f.** No, ...
7. Se me ha roto la lavadora.	**g.** Pues ....

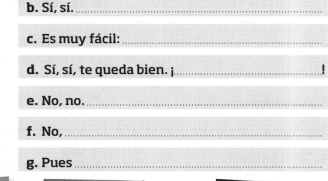

12

Elige una respuesta para cada pregunta.

1. ¿Desde cuándo vives en Salamanca?
2. ¿Con quién fuiste de vacaciones a Italia?
3. ¿Cuánto tiempo llevas practicando la natación?
4. ¿Por qué cambiaste de trabajo?
5. ¿A qué persona famosa te gustaría conocer?
6. ¿Para qué compraste esa bici?
7. ¿Qué haces cuando no estás estudiando?
8. ¿De dónde es tu mejor amigo?

a. Unos tres años.
b. Pues a Isabel Allende, es mi escritora favorita.
c. Porque era muy pesado, estaba todo el día en una oficina sin ventanas.
d. Para hacer un poco de ejercicio. Además, la uso para ir a la escuela.
e. Desde el año pasado.
f. De París, es francés.
g. Quedo con mis amigos, vamos de copas, charlamos...
h. Con mis amigos Enzo y Laura.

13

Relaciona cada frase con su continuación más adecuada.

1. Empezó a tocar el piano a los ocho años,	**a.** pero siguió tocando hasta los 14. **b.** pero dejó de tocarlo a los 14.
2. Decidió dejar la escalada porque	**a.** estuvo a punto de morir la última vez que escaló el Montblanc. **b.** empezó a escalar hace 10 años.
3. No le gustaba nada el curso de natación.	**a.** Por eso, siguió yendo a clase. **b.** Por eso, dejó de ir a clase.
4. ¿Cuánto tiempo hace que trabajas en la zapatería?	**a.** Llevo 10 años trabajando allí. **b.** Sí, sigo trabajando allí.

14

Carlos nos habla de sus aficiones. Completa el texto con la perífrasis más adecuada.

> **empezar a / dejar de** + infinitivo
> **llevar / seguir** + gerundio

Mis mayores aficiones son el alpinismo y los cómics. .... más de diez años haciendo alpinismo. .... escalar cuando tenía 18 años porque mi tío Francisco era muy buen escalador y yo lo admiraba mucho. Él .... escalar hace unos años porque tuvo un hijo y no quiso .... poniéndose en peligro. Yo, en cambio, escalo más que nunca, pero cuando no estoy en la montaña, llevo una vida muy tranquila. Una cosa que me gusta mucho es coleccionar cómics. .... a coleccionarlos a los 14 años y todavía .... comprándolos. Tengo una biblioteca bastante extensa; de hecho, la semana pasada me compré una estantería nueva para poder ordenarlos todos cronológicamente.

 15

Lee estos testimonios de algunos estudiantes de español y marca con quién te identificas.

☐ En clase hablo mucho con mis compañeros, creo que es la mejor manera de practicar. Por eso, me encantan las actividades en pareja o en grupo.

☐ Cuando tengo alguna duda gramatical, intento resolverla yo solo: la busco en el manual que usamos en clase o en algún otro libro. Casi nunca les pregunto a mis compañeros, me da vergüenza.

☐ Me gusta hacer ejercicios escritos de gramática y vocabulario antes de empezar a hablar. Así me siento más seguro y no hago tantos errores al hablar.

☐ Creo que es muy útil usar el móvil en clase: puedo encontrar rápidamente las palabras que no conozco, aunque a veces no entiendo muy bien las traducciones o no son correctas.

☐ No me gusta jugar en clase; creo que es una cosa de niños, y yo soy un adulto. Prefiero aprender haciendo cosas serias.

 16

Ahora escribe tú algo que te gusta y algo que no te gusta hacer en clase de español. Puedes utilizar los testimonios anteriores como modelo.

....
....
....
....
....
....
....
....
....
....
....

17

Discute tus opiniones con un compañero. Poned en común vuestros textos. ¿Encontráis cosas parecidas? ¿Podéis sacar conclusiones útiles para la clase?

18

Con un compañero, redacta cuatro preguntas que quieres hacerle a tu profesor o profesora. Puedes preguntarle sobre su profesión, su conocimiento de lenguas extranjeras, etc., como en el ejemplo.

1. ¿Desde cuándo trabajas como profesor de español?

2. ¿... ....?

3. ¿... ....?

4. ¿... ....?

5. ¿... ....?

19

Ahora, hacedle las preguntas y anotad sus respuestas. ¿Habéis descubierto algo curioso o sorprendente? Hablad con vuestros compañeros.

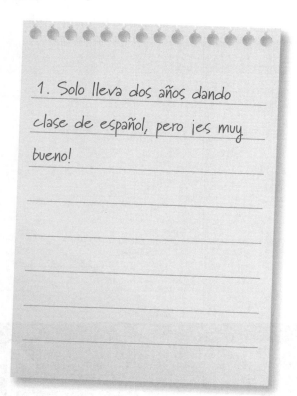

1. Solo lleva dos años dando clase de español, pero ¡es muy bueno!

20

A partir de las respuestas que os ha dado vuestro profesor, diseñad su acrónimo.

21

Luego, explicadles a vuestros compañeros por qué habéis escogido esas palabras para su nombre.

❝ Nosotros hemos escogido "familia" porque enseña español desde hace quince años, y un profesor de español tiene que tener mucha paciencia. ❞

02
PLE: ENTORNO PERSONAL...

 22

Estas personas necesitan ayuda para aprender español.
¿Qué herramientas (apps, webs, etc.) les puedes recomendar?

1. No recuerdo cómo se dice: ¿"estar enamorado de alguien" o "con alguien"?

2. Me gustaría estar al día de lo que pasa en Hispanoamérica. ¿Dónde puedo encontrar información actualizada?

3. Me gusta mucho jugar y quiero pasarlo bien mientras estoy aprendiendo español.

4. He grabado un vídeo de mi presentación oral en clase y quiero que mis amigos lo vean.

5. ¿Cómo puedo hablar en directo con una persona de Hispanoamérica?

6. No entiendo bien la diferencia entre indefinido e imperfecto, necesito más ejemplos.

7. Quiero guardar las redacciones que escribo en clase y compartirlas con mis compañeros.

8. Me gustaría escuchar canciones y leer la letra a la vez.

cvc.cervantes.es

www.rae.es

POR PLACER O POR TRABAJO

01
COMUNALIA: EL BANCO DEL TIEMPO

 1

Después de leer el texto de las páginas 28 y 29 del Libro del alumno, contesta estas preguntas utilizando tus propias palabras.

1. ¿Qué es un banco del tiempo?

....

....

2. ¿Cómo funciona?

....

....

3. ¿Quién puede participar?

....

....

....

2

De las cosas que ofrecen los socios del banco del tiempo, escoge cinco que te interesan y explícale a tu compañero por qué las has escogido. Puedes utilizar los siguientes recursos.

—*A mí me interesaría… porque…*
—*Yo no sé hacer…*
—*Yo siempre he querido aprender a…*
—*A mí se me da mal…; por eso…*
—*Necesito ayuda para…*

3 **2-3**

Vuelve a escuchar las entrevistas a Inés y Marisa de la actividad C y señala si las siguientes afirmaciones son verdaderas o falsas.

	V	F
INÉS		
1. Inés lleva aproximadamente medio año en el banco del tiempo.	☐	☐
2. Cuando se asoció, buscaba clases de costura.	☐	☐
3. Una persona le cosió el pantalón la misma tarde que llamó.	☐	☐
4. No recomendaría la experiencia porque hay que tener mucho tiempo.	☐	☐
MARISA		
5. Marisa lleva dos años en el banco del tiempo.	☐	☐
6. Se enteró por un anuncio en la calle.	☐	☐
7. Al principio fue solo por curiosidad.	☐	☐
8. El mismo día que recibe las clases de guitarra, da clases de inglés.	☐	☐
9. Está muy contenta con la experiencia porque no cuesta dinero y porque conoce a gente interesante.	☐	☐
10. El único problema es que está lejos de casa.	☐	☐

Estas son las transcripciones de las conversaciones con José Antonio y Marisa. Señala el marcador adecuado para cada caso y comprueba escuchando de nuevo la grabación.

José Antonio

Locutor: Tenemos al teléfono a otro oyente que quiere contarnos su experiencia relacionada con el banco del tiempo. ¿Qué tal, José Antonio? Buenas tardes.

José Antonio: Hola, buenas tardes.

Locutor: ¿Podrías explicarnos un poquito cuál es tu experiencia con el banco del tiempo?

José Antonio: (**Entonces** / **De modo que** / **Bueno**), yo llevo casi un año ya en el banco del tiempo, y la verdad es que solo tengo experiencias positivas. (**Mira, fíjate** / **De modo que** / **Y eso**), me han dado masajes en los pies, he recibido clases de cocina japonesa, me han arreglado el frigorífico... Un montón de cosas. De hecho, ahora voy a mudarme de casa y me van a ayudar a llevar las cosas en varios coches. O sea que es algo como muy recíproco.

Locutor: Claro, porque nos hablabas de los servicios que te han ofrecido a ti, pero ¿qué servicios ofreces tú?

José Antonio: (**Por supuesto** / **Pues, verás** / **Y eso**), yo por mi parte, a veces hago la compra para una anciana que vive en un piso sin ascensor y también saco a pasear a perros, llevo gente al aeropuerto...

Locutor: (**Mira, fíjate** / **Por supuesto** / **De modo que**) estás encantado, ¿no?, con la experiencia.

José Antonio: (**La verdad es que** / **Entonces** / **Por supuesto**), y desde aquí animo a todo el mundo a que lo pruebe, sin duda.

Marisa

Locutor: Seguimos hablando del banco del tiempo. Ahora tenemos a Marisa, que va a contarnos su experiencia. Buenas tardes, Marisa.

Marisa: Hola, buenas tardes.

Locutor: ¿Hace mucho que estás en el banco del tiempo?

Marisa: Bueno no, (**en realidad** / **y eso** / **así**) hace solo dos meses. Pero, bueno, yo me enteré por casualidad, por un amigo mío del pueblo.

Locutor: Y porque buscabas algún servicio, querías ofrecer tú algún servicio...

Marisa: No, (**por supuesto** / **en realidad** / **y eso**) fui para curiosear, a ver qué actividades ofrecían y vi que daban clases de guitarra, y la verdad es que siempre he querido tocar, aprender a tocar la guitarra, y bueno, ofrecí a cambio, pues clases de inglés. (**Por supuesto** / **Entonces** / **Y eso**) voy los martes a clases de guitarra y el jueves doy yo clases de inglés. Y cuando doy clases de inglés, me dan un bono y así, bueno, recibo a cambio, pues, aprender a tocar la guitarra.

Locutor: Así, la experiencia, ¿buena, (**por supuesto** / **entonces** / **la verdad es que**)?, ¿la recomendarías?

Marisa: Yo creo que sí, estoy muy contenta. Primero porque no cuesta dinero, y además, bueno, conoces a gente muy interesante, está cerca de casa, y eso.

 5

Fíjate en cómo se usan los marcadores en cada frase. ¿Qué dirías en cada caso en tu lengua?

6

Escribe al menos dos actividades interesantes para un banco del tiempo con cada uno de estos verbos.

1. acompañar

a personas mayores al médico,

2. asesorar

....

3. coser

....

4. cuidar

....

5. enseñar

....

6. entrenar

....

7. hacer compañía a

....

8. llevar

....

9. pintar

....

10. reparar

....

7

Piensa en dos o tres cosas que no sabes hacer, pero que te gustaría aprender. Explica por qué. Luego busca entre los compañeros de la clase a alguno que te pueda enseñar a hacerlas.

—*No sé...*
—*Me gustaría aprender a...*
  porque...

8

¿Participas en la vida de tu barrio? ¿Cómo podrías participar más? Habla con tus compañeros.

Yo compro en el supermercado, pero podría comprar más en las tiendas del barrio.

9

Relaciona cada frase de la izquierda con una reacción de la columna derecha. Luego subraya a qué se refieren los pronombres destacados en verde.

1. ¿Vais a quedaros en casa de Carmen y Bruno en Tenerife?
2. ¿Quién les ha dado estos puzles a las niñas?
3. ¿Quién te ha dicho que Malena está embarazada?
4. ¿Quién me ha pedido las gafas de sol? ¿Has sido tú, Néstor?
5. ¿Y esa tele? Es nueva, ¿no?
6. Recoge tu cuarto, Mario.

a. He sido yo. Les gustan mucho y mis hijos ya no los usan.
b. Sí, pero ya no las necesito, gracias. He encontrado las mías.
c. ¡Ya lo he hecho!
d. Sí, nos la han regalado mis padres.
e. Marta. La vio el otro día por la calle.
f. Nos lo han ofrecido, pero preferimos dormir en un hotel.

10

¿**Le**, **les**, **la**, **lo**, **las** o **los**? Completa las frases con el pronombre adecuado.

1. A Clara .... gusta mucho cómo cocina mi padre.

2. – Oye, ¿puedo usar tu móvil?

   – Sí, claro, cóge .... Está encima de la mesa.

3. – ¿Has terminado la traducción que tienes que entregar mañana?

   – Sí, ... he terminado esta mañana.

4. – ¿Tú conoces a los padres de Laura?

   – No. Me ha hablado mucho de ellos, pero no .... conozco.

5. Berta, ¿ .... puedes decir a Juanjo que llegaremos diez minutos tarde, por favor?

11

Coloca los verbos del recuadro en la tabla. Recuerda que pueden estar en diferentes categorías.

- cocinar
- acostarse
- volver
- hacer
- pedir
- recomendar
- molestar
- pasear
- interesar
- ducharse
- encantar
- hablar
- leer
- cantar
- maquillarse
- descansar

1. Sujeto + verbo (como **trabajar**)

2. Sujeto + **me/te/se/nos/os/se** + verbo (como **llamarse**)

3. Sujeto + verbo + complemento directo (**me/te/lo/la/nos/os/los/las**) (como **limpiar**)

4. Sujeto + **me/te/le/nos/os/les** + verbo + comp. directo + comp. indirecto (**como dar**)

5. A + complemento indirecto + **me/te/le/nos/os/les** + verbo + sujeto (como **gustar**)

12

Completa la tabla del condicional con las formas que faltan.

	trabajar	perder	escribir
yo			
tú	trabajarías		
él/ella/usted			
nosotros/nosotras			
vosotros/vosotras			
ellos/ellas/ustedes	trabajarían		

13

Escribe la primera persona del singular del condicional de los siguientes verbos irregulares.

1. poder:
2. hacer:
3. venir:
4. salir:
5. tener:
6. haber:
7. valer:

14

Ahora escribe...

Dos cosas que no harías nunca.

Dos cosas que te gustaría tener, pero no puedes.

Una cosa que podrías hacer hoy para alegrar a otra persona.

6-8

Tres personas hablan de lo que saben hacer y cómo lo aprendieron. Escucha y completa la tabla.

¿Qué sabe hacer?	¿Cómo lo aprendió?
1.	
2.	
3.	

Haz una lista de al menos seis cosas que sabes hacer y explica cómo aprendiste a hacerlas. Puedes utilizar el gerundio u otros recursos.

1. *Sé bailar salsa. Aprendí yendo a clases.*
2. ....
3. ....
4. ....
5. ....
6. ....

Rellena esta tabla con tu información y la de dos compañeros.

	Una cosa que se me da bien. Lo aprendí...	Una cosa que se me da regular	Una cosa que no se me da bien y me gustaría mejorar
Yo			
Compañero 1			
Compañero 2			

—Joan, ¿a ti qué se te da bien?
—Pues se me da bien dibujar.
—¿Ah, sí? ¿Y cómo aprendiste?

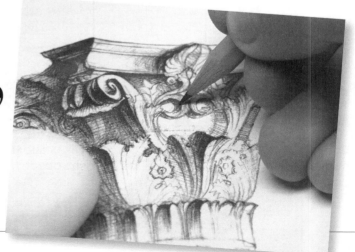

02
GANARSE LA VIDA

 18

Antes de leer el texto, ¿qué crees que significa la expresión **ganarse la vida**? ¿Existe en tu lengua alguna expresión similar? Usa internet si lo necesitas.

 19

¿Existen en tu lengua frases hechas relacionadas con trabajar o tener una profesión? Si no recuerdas ninguna, busca en internet. Luego investiga si tienen un equivalente en español o pregúntale a tu profesor.

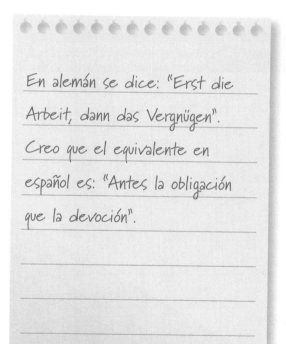

En alemán se dice: "Erst die Arbeit, dann das Vergnügen".
Creo que el equivalente en español es: "Antes la obligación que la devoción".

 20

¿Cuáles de estos factores son importantes para ser feliz en el trabajo? Valóralos del 1 (nada importante) al 5 (muy importante), y luego escribe frases en tu cuaderno con los recursos del recuadro.

	1	2	3	4	5
Tener un buen ambiente de trabajo.	☐	☐	☐	☐	☐
Ganar un buen sueldo.	☐	☐	☐	☐	☐
Tener mucho tiempo libre.	☐	☐	☐	☐	☐
Tener el reconocimiento de los compañeros.	☐	☐	☐	☐	☐
Trabajar en un lugar agradable.	☐	☐	☐	☐	☐
Tener un horario flexible.	☐	☐	☐	☐	☐
Asumir responsabilidades.	☐	☐	☐	☐	☐
No tener un trabajo monótono.	☐	☐	☐	☐	☐
Sentirse realizado profesionalmente.	☐	☐	☐	☐	☐
Tener muchos días de vacaciones.	☐	☐	☐	☐	☐
Trabajar cerca de casa.	☐	☐	☐	☐	☐
Ascender en la empresa.	☐	☐	☐	☐	☐
Otro:	☐	☐	☐	☐	☐

- lo más importante
- muy importante
- más/menos importante que
- (no) tan importante como
- no muy importante
- nada importante
- lo menos importante

Para mí, no es nada importante ascender en la empresa.

 21

Comenta tus respuestas al ejercicio anterior con un compañero y poneos de acuerdo en cuáles son los tres factores más importantes.

Lee las opiniones del foro de la página 32 del Libro del alumno y marca quién expresa las siguientes ideas.

	Daniel	Diana	Batman	Marga	Anabel
1. En todos los trabajos tenemos que hacer cosas que no nos gustan.	☐	☐	☐	☐	☐
2. Lo más importante es tener un buen ambiente de trabajo.	☐	☐	☐	☐	☐
3. Si tienes un trabajo que te gusta, no lo ves como un trabajo.	☐	☐	☐	☐	☐
4. El trabajo no es lo que determina la felicidad.	☐	☐	☐	☐	☐
5. El sueldo no es el factor más importante en el trabajo.	☐	☐	☐	☐	☐

Escribe un comentario para el foro expresando tu opinión sobre el trabajo.
Puedes usar estos comienzos o crear frases nuevas.

—*Para mí, lo importante es...*
—*Yo creo que la felicidad (no) depende de...*
—*Sentirse bien (no) tiene que ver con...*
—*(No) estoy de acuerdo con...*
—*Si te gusta tu trabajo...*

24

¿Qué actividades hacen estas personas en su trabajo?
Puedes utilizar estos verbos u otros.

- poner
- cobrar
- aconsejar
- vender
- construir
- curar
- comprar
- servir
- ir
- visitar
- ayudar a
- recetar
- explicar
- estudiar
- diseñar
- acompañar

Una veterinaria	Un camarero	Una artesana	Un guía turístico

 25

¿Cuáles son los aspectos positivos y negativos de tu profesión o trabajo actual? Escríbelos.

Aspectos positivos

Aspectos negativos

Cobro muy poco.

 26

Cuéntale a tu compañero las cosas que no te gustan de tu trabajo. Tu compañero te va a dar consejos. ¿Qué te parecen?

Consejos de mi compañero

Podría pedir un aumento.

66
—A mí me gusta mucho mi trabajo, pero está muy mal pagado.
—¿Por qué no hablas con tu jefe y le pides un aumento? 99

27

Relaciona los elementos de las columnas para formar frases.
En algunos casos hay varias posibilidades.

Trabajo en una oficina	en	el	que	trabaja todos los días de la semana.
Tengo un compañero de trabajo	con	la	∅	son muy simpáticas.
Estoy en una empresa	de	los		hay muchos empleados.
Conozco a una persona	por	las		me lo paso muy bien.
Comparto piso con un chico	en	quien		disfruto mucho.
Tengo una profesión	para			trabajo muy bien.
Estudio con unas chicas				su trabajo es más importante que sus amigos.
				soy un buen amigo.
Trabajo en una escuela	donde			no cierra los fines de semana.
	que			me gusta mucho.
				muy buen ambiente.

28

Sigue el modelo anterior y escribe seis frases sobre tu trabajo y tus estudios.

1. Trabajo/estudio en un/una ....
....

2. Tengo un/a compañero/a ....
....

3. ....
....
....

4. ....
....

5. ....
....
....

6. ....
....
....

29

Completa estas frases con **alguien** o **nadie**.

1. ¿Conoces a .... en esta fiesta?
   No, a ....

2. A partir de las 7 de la tarde, ya no hay ....
   en la oficina.

3. .... me dijo una vez que lo más
   importante en la vida es tener buenos amigos.

4. .... hace la paella como mi abuela.
   Es la mejor del mundo.

5. ¿Sabe .... a qué hora cierra la
   biblioteca?

6. Cuando era pequeño, ... me
   habló nunca de la guerra.

Biblioteca central. Universidad Nacional de México

30

¿Quién de vosotros es el más manitas? Hablad en grupos y anotad los nombres.

¿Quién sabe...	Nombre
planchar?	
hacer un pastel de chocolate?	
preparar una sangría?	
cambiar la rueda pinchada de una bicicleta?	
algo de informática?	
cómo arreglar una avería eléctrica?	
algo de costura?	

31

Poned en común vuestros resultados con el resto de la clase y en parejas escribid las conclusiones.

1. Todo el grupo sabe ....
....

2. (Casi) toda la clase ....
....

3. Todos los alumnos/as ....
....

4. Algunos compañeros/as ....
....

5. ....
sabe/n algo de ....

6. Nadie sabe ....
....

7. No sabe ....
.... nadie.

8. Ningún alumno/a sabe ....
....

32

Completa las frases con **otro/a/os /as** y (**los/las**) **demás**.

1. Aprendí chino hace años y ahora quiero aprender .... idioma.

2. Algunas tardes voy a jugar al tenis con un amigo y .... tardes me quedo en casa.

3. ¡No es justo! Yo tengo que trabajar y los .... tenéis vacaciones.

4. Esta asignatura es divertida, pero las .... no, al contrario.

5. Es bueno escuchar a .... personas cuando tienes problemas.

6. ¿Hoy te quedas en casa? Bueno, pero .... día puedes venir con nosotros, si te apetece.

7. Ayer escuché el nuevo CD de Enrique Iglesias. La primera canción es muy buena, pero las .... no me gustan nada.

8. ¿No te gusta este helado? Pues no te voy a comprar ....

33

Piensa cómo traducirías a tu idioma las frases anteriores.

34 **9-11**

Vas a escuchar a tres personas que tienen alguno de los trabajos que aparecen
en la lista. Léela y después escucha para completar la tabla.

- **doble de películas de acción**
- **gerente de una multinacional**
- **educador infantil**
- **artista callejero**
- **corresponsal de guerra**
- **intérprete de lengua de signos**
- **cooperante en una ONG**
- **abogado criminalista**
- **investigador científico**
- **espía**
- **neurocirujano**

¿Qué trabajo tiene?	¿Qué cosas hace?	¿Cómo es su trabajo?
1.	**1.**	**1.**
2.	**2.**	**2.**
3.	**3.**	**3.**

35

¿Cómo crees tú que son los trabajos anteriores? Puedes utilizar los
siguientes adjetivos u otros. Luego coméntalo con tus compañeros.

- **duro**
- **peligroso**
- **estresante**
- **apasionante**
- **bien pagado**
- **creativo**
- **raro**
- **aburrido**
- **monótono**

Doble de películas de acción	Cooperante en una ONG
Es un trabajo peligroso...	
Gerente de una multinacional	**Abogado criminalista**
Educador infantil	**Investigador científico**
Artista callejero	**Espía**
Corresponsal de guerra	**Neurocirujano**
Intérprete de lengua de signos	**Bailarín profesional**

36

Escoge tres de los trabajos de la
actividad anterior y rellena una
ficha como esta para cada uno.

Trabajo:

Actividades cotidianas:

Aspectos positivos:

Aspectos negativos:

Me parece un trabajo

37

¿Cuáles de los trabajos de la actividad 34 podrías hacer y cuáles no? ¿Por qué? Coméntalo con tus compañeros.

Yo podría ser espía porque hablo idiomas, me interesa la política y soy muy discreto.

38

Completa este anuncio de trabajo con las expresiones del recuadro.

- **tipo de contrato**
- **puestos vacantes**
- **requisitos**
- **funciones**
- **jornada laboral**
- **salario**
- **lugar**
- **descripción del puesto**

Profesor de alemán

......................................: profesor de alemán para academia de idiomas

......................................: Valencia

......................................: 1

......................................: impartir clases de conversación y gramática en todos los niveles.

......................................: Licenciatura en Filología alemana; nivel C2 de alemán; experiencia docente de al menos tres años.

......................................: completa

......................................: 15 000 € bruto/año

......................................: indefinido

39

Escoge una profesión que te parezca interesante y escribe en tu cuaderno un anuncio como el de la actividad anterior.

ARCHIVO DE LÉXICO

40

Completa las siguientes frases con las expresiones del recuadro en el tiempo verbal adecuado.

- buscar trabajo
- tener mucho trabajo
- encontrar trabajo
- estar en el trabajo
- ir al trabajo
- quedarse sin trabajo

1. Desde que Juanjo .... está deprimido. Se pasa todo el día en casa, en pijama, jugando al ordenador.

2. Marina ha tenido mucha suerte: comenzó hace un mes a .... y hoy empieza a trabajar. Está muy contenta.

3. Cuando .... en autobús, aprovecho para aprender inglés.

4. El otro día, mientras ...., me acordé de que había dejado el horno encendido y tuve que irme corriendo a casa. ¡En medio de una reunión!

5. Hoy tengo que quedarme hasta muy tarde en la oficina. ....

6. Irene se va a vivir al extranjero. .... en Francia como programadora.

41

¿Conoces a alguien que tenga un trabajo con alguna de estas características? Habla con tus compañeros.

- **un trabajo bien pagado**
- **un trabajo con futuro**
- **un trabajo duro**
- **un trabajo raro**
- **un trabajo interesante**
- **un trabajo aburrido**
- **un trabajo peligroso**

" —Un amigo mío es piloto de unas líneas aéreas… —Ah, eso está muy bien pagado, ¿no? "

42

Continúa las series.

saber	jugar al póquer, latín…	....
conocer	un restaurante, a Enrique…	....
aprender	música, a nadar…	....
enseñar	inglés, a leer…	....

VÍDEO

campus.difusion.com

 43

¿A cuál de los candidatos de la entrevista corresponde la siguiente información? Márcalo y luego comprueba con el vídeo.

	Laura	Adrián	Clara
1. Todavía no ha acabado los estudios.	☐	☐	☐
2. Tiene experiencia en el mundo de la publicidad.	☐	☐	☐
3. Es muy organizado/a.	☐	☐	☐
4. Le gusta trabajar en equipo.	☐	☐	☐
5. Habla un idioma oriental.	☐	☐	☐
6. Prefiere trabajar en casa.	☐	☐	☐
7. Para él/ella lo más importante es el salario.	☐	☐	☐
8. En su tiempo libre practica un deporte.	☐	☐	☐

 44

Completa las frases y luego comprueba con el vídeo.

Laura: Tengo experiencia en turismo y .... dos años .... en un hotel.

Adrián: .... muy bien la informática. .... programar y diseñar webs.

Clara: Soy una persona .... se puede trabajar en equipo, y soy muy ....

Adrián: Hablo muy bien inglés y coreano. Lo aprendí .... cómics.

 45

En parejas, discutimos cuál sería el trabajo ideal para cada uno de los candidatos del vídeo y explicamos por qué. Lo comentamos con otras dos parejas. ¿Hemos pensado en los mismos trabajos?

MUÑECAS, CAMIONES Y PUZLES

01
¿A QUÉ JUGAMOS?

Piensa en juegos que conoces y escríbelos en las siguientes categorías u otras.

Juegos de mesa	Juegos de estrategia	Videojuegos	Juegos populares	Otros

¿A qué juguete de las páginas 40 y 41 se refiere cada definición?

1. **Tabla larga con ruedas que sirve para moverse de un lugar a otro.**

2. **Juguete tradicional hecho de tela y relleno de algodón u otros materiales que normalmente representa un animal.**

3. **Pelota grande que se utiliza para jugar a un deporte de equipo en el que hay que meter la pelota en la canasta contraria.**

4. **Juguete electrónico portátil para jugar a videojuegos.**

Ahora escribe tú tres definiciones de juguetes o juegos sin mencionar su nombre. Tus compañeros deben adivinar de qué se trata.

4

Lee de nuevo el texto de la página 40 del Libro del alumno y resúmelo en una frase con tus propias palabras. Luego, escribe un título alternativo.

Resumen:

Título alternativo:

5

¿Cómo se expresan estas ideas en los textos de las páginas 40 y 41?

1. Gracias al juego, los niños entienden cómo funciona la sociedad en la que viven.

....

2. No está claro si los juguetes bélicos son perjudiciales para los niños.

....

3. No todos los juguetes complicados promueven una actitud activa.

....

4. Los adultos no deben comprarles a los niños todo lo que piden.

....

6

Escribe con tus palabras tres ideas más que se recogen en el texto.

7

Continúa estas frases con tu opinión sobre el mundo del juego y los juguetes.

A todos los niños les gusta ....

....

Los niños y las niñas necesitan ....

....

Los juguetes bélicos ....

....

Los juegos de ordenador ....

....

La publicidad ....

....

Se fabrican muchos ....

....

8 🔊 **12**

Escucha a Luis hablando sobre los regalos que le hace a su sobrino y marca la respuesta correcta en cada caso.

1. ¿Qué sucedió hace unos meses?

a. Luis pasó una Navidad preciosa con su sobrino.
b. Su sobrino se enteró de la verdad sobre los regalos de Navidad.
c. Se le olvidó comprar el regalo de Navidad para su sobrino.

2. ¿Qué tipo de regalos le hace Luis?

a. Juguetes artesanales.
b. Unos juguetes que hace él mismo.
c. Solo juguetes educativos.

3. ¿Qué cosas le ha regalado hasta ahora?

a. Un tren, un títere y muñecos.
b. Un muñeco de madera y un cochecito.
c. Un títere y un guiñol para jugar con él.

4. ¿Qué problemas tienen?

a. Que son muy caros.
b. Que son difíciles de hacer.
c. Que no se encuentran fácilmente.

5. ¿Qué otras cosas le gustan a su sobrino?

a. Las maquinitas y los regalos ordinarios.
b. Los deportes y las películas.
c. Los juegos de estrategia.

6. ¿Qué hace ahora que es algo mayor?

a. Hacen juntos los regalos.
b. Le regala dinero.
c. Van juntos de excursión.

9

Completa la tabla del presente de subjuntivo con las formas que faltan.

	cantar	beber	escribir	querer	jugar	tener	hacer
yo		beba					
tú	cantes						
él/ella/usted			escriba				
nosotros/nosotras							
vosotros/vosotras	cantéis						
ellos/ellas/ustedes			escriban				

10

Completa las frases con el verbo en infinitivo o en la forma adecuada del presente de subjuntivo.

1. Es mejor (jugar) .... **en grupo que solo.**

2. Es fundamental que los empleados (jugar) .... **en las empresas.**

3. El juego es lo mejor para (reducir) .... **tensiones.**

4. Es importante que los niños (compartir) .... **sus juguetes con otros niños.**

5. Es recomendable (tener) .... **en casa solo los juguetes que los niños utilizan cada día y regalar el resto.**

6. Es conveniente que los niños (desarrollar) .... **su creatividad desde muy pequeños.**

7. Para convertirse en amigos de sus hijos, es fundamental que los padres (ser) .... **sus principales compañeros de juego.**

8. Es mejor que los padres (comprar) .... **juguetes de buena calidad para sus hijos.**

9. Es fundamental que las empresas no (hacer) .... **publicidad sexista.**

11

¿Qué opinas sobre las afirmaciones de la actividad anterior? Habla con un compañero.

" Yo creo que es importante que los padres jueguen con sus hijos, pero el principal compañero de juego debe ser otro niño. "

12

Escribe cinco consejos para conseguir uno de estos objetivos. Puedes utilizar los siguientes recursos.

- **Educar bien a los hijos**
- **Ser feliz en el trabajo**
- **Tener una buena relación de pareja**

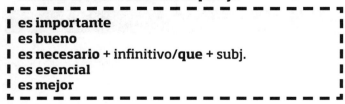

es importante
es bueno
es necesario + infinitivo/**que** + subj.
es esencial
es mejor

13

¿Qué juguetes o juegos te gustaban de pequeño? ¿Y cuando tenías 15 años? ¿Te siguen gustando ahora o han cambiado tus gustos? Habla con un compañero.

14

¿Alguno de los juegos a los que jugabas de pequeño ha sido importante para tu vida adulta? Habla con un compañero.

" A mí me gustaba mucho jugar con videojuegos. Creo que por eso estudié informática. "

02
TE TOCA A TI

 15

La expresión **te toca a ti** se utiliza para dar el turno a una persona en el juego. ¿Cómo se dice en tu idioma?

 16

Busca en el texto de las páginas 44 y 45 del Libro del alumno el siguiente vocabulario.

1. El nombre de una hormona que produce una sensación agradable.	**2. El póquer español.**
....	....
....	....
3. El nombre de un juego popular en el Caribe.	**4. Los nombres de otros tres juegos.**
....	....
....	....

 17

Ahora busca en el texto las respuestas a estas preguntas.

1. ¿A qué se dedica la experta entrevistada?

....

....

2. ¿Cuál es el origen de muchos deportes actuales?

....

....

3. ¿Qué caracteriza a la baraja española?

....

....

18

Relaciona cada enunciado de la izquierda con su continuación correcta. Ten en cuenta que en algún caso las dos opciones son correctas. Luego compara con un compañero y comentad con qué afirmaciones estáis de acuerdo y con cuáles no.

1. Es evidente	**a.** que la alimentación natural ayuda a alargar la expectativa de vida.
	b. que el consumo de alcohol perjudique a la salud.
2. Es bueno	**a.** caminar por lo menos una hora al día.
	b. que los niños aprendan una lengua extranjera a partir de los tres años.
3. Es importante	**a.** que los niños tengan la costumbre de leer diariamente.
	b. que los niños leen un cuento cada día.
4. Está demostrado	**a.** que el ser humano necesita dormir unas ocho horas diarias.
	b. que los niños necesiten desayunar bien para rendir en la escuela.
5. Es una vergüenza	**a.** que los países aumentan los controles contra los inmigrantes.
	b. que los países aumenten las leyes contra la inmigración.
6. Es horrible	**a.** tener que trabajar más de ocho horas diarias.
	b. que algunos trabajadores no puedan trabajar en las condiciones adecuadas.

19

¿Qué recomendaciones puedes dar para evitar el fomento de comportamientos sexistas en la publicidad? Habla con tus compañeros. Puedes usar estos recursos.

> • **Es bueno/mejor/recomendable/... + infinitivo**
> • **Es bueno/mejor/recomendable/... + que + subjuntivo**

Es recomendable que en los anuncios de muñecas haya niñas y niños.

20

¿Son muy diferentes los juguetes que se venden para niños de los que se venden para niñas? ¿En qué se diferencian? ¿Crees que hay juguetes sexistas? Discute con varios compañeros.

21

En este artículo sobre la publicidad y el sexismo en los juguetes faltan los fragmentos del cuadro. Léelo y colócalos en su lugar correspondiente.

> **a.** los niños juegan fuera
> **b.** el rol de madre y cuidadora
> **c.** son diferentes
> **d.** que una niña juegue con coches y naves espaciales
> **e.** tradicionalmente femeninos
> **f.** para maquillar y vestir
> **g.** juegos de mesa y educativos
> **h.** les gusta peinarse y cuidar de su aspecto

¿Juguetes de niños y niñas?

Muchos juguetes que se venden en la televisión parecen inofensivos, pero transmiten conductas sexistas: juguetes de color rosa, muñecas (1) _____ o bebés que dicen "mamá" son algunos ejemplos.

En los anuncios de juguetes a las niñas (2) _____. Les interesan especialmente la estética (la moda, el maquillaje), cuidar a las muñecas, limpiar, cocinar, ocuparse de los enfermos, etc. Así, se reproduce (3) _____, casi siempre dentro de casa. En cambio, (4) _____, y lo hacen con coches, muñecos de pelea y juegos de desarrollo cognitivo como las construcciones.

Ni siquiera los juguetes más modernos (5) _____: existen consolas rosas para niñas, y en los juegos sobre futuras profesiones se ven mujeres enfermeras o profesoras, algunos de los oficios considerados (6) _____. Solo los (7) _____ ofrecen generalmente pautas igualitarias.

La realidad es que la mayoría de los juguetes son tanto para niñas como para niños. Pero las madres y los padres son fundamentales a la hora de transmitir comportamientos sexistas. Si unos padres consideran que es raro (8) _____ o que un niño cuide a un muñeco, están transmitiendo actitudes sexistas a sus hijos. Por eso es fundamental que los niños y las niñas compartan juegos y roles desde pequeños. Un niño que aprende que cuidar a los bebés es "cosa de niñas", no estará preparado en la vida adulta para asumir la responsabilidad de ser padre.

22

Algunos españoles opinan sobre el sexismo en la infancia. ¿Tú qué crees? ¿Tienes una experiencia similar? ¿Crees que en tu país pasa lo mismo?

1. **Yo no encuentro juguetes para mi hija. En los grandes almacenes, los juguetes para las niñas son siempre de color rosa. Es horrible.**

Eso en mi país

2. **En España, a las niñas les dicen "qué guapa estás" mucho más que a los niños. Los hombres cuidan menos su aspecto.**

Yo creo que eso

3. **En muchos lugares de España, a una niña la llaman "princesa" y a un niño, "machote".**

Eso

4. **A mí, de pequeño, me dijeron que jugar con muñecas es de niñas y con coches, de niños. Y claro, yo me lo creí.**

Eso

5. **No es justo: cuando una niña se hace daño, puede llorar y todo el mundo la consuela. Sin embargo, cuando un niño se hace daño, le dicen que los chicos no lloran y tienen que ser valientes.**

Eso

Eso en mi país pasaba hace veinte años, pero ya no. Ahora hay juguetes de todo tipo para niños y niñas.

23

Escribe dos frases expresando tu opinión acerca de los temas anteriores y una sobre un tema de tu elección. Luego compáralas con las de tus compañeros. ¿Opináis lo mismo?

Educación de los niños
Vida sana y alimentación
Condiciones de trabajo
Emigración/inmigración

....

....

....

....

....

24

Completa las frases con **que** o **quien**.

1. **En el ajedrez gana** .... **consigue hacer jaque mate.**

2. **En el parchís comienza a jugar** .... **saca el número más alto a los dados.**

3. **El go japonés es un juego** .... **se parece mucho a las damas.**

4. **A las películas se juega entre dos o más personas.** .... **comienza representa con mímica el título de una película, y los demás intentan adivinar de cuál se trata.**

5. **Pintar y hacer manualidades son actividades** .... **fomentan la creatividad de los niños.**

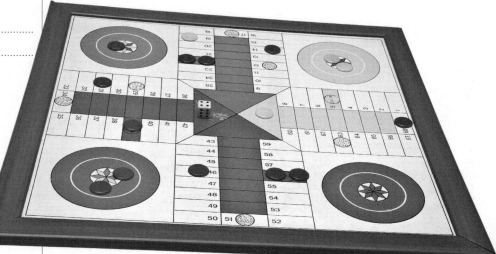

25

¿Qué hay que hacer para ganar en cada uno de estos deportes? Relaciona.

1. una partida de ajedrez

2. un partido de fútbol

3. un partido de tenis

4. una maratón

5. un partido de baloncesto

a. Marcar más goles.

b. Llegar el primero a la meta.

c. Marcar más puntos.

d. Hacer jaque mate.

e. Ganar dos sets de tres.

26

Ahora forma frases como la del ejemplo.

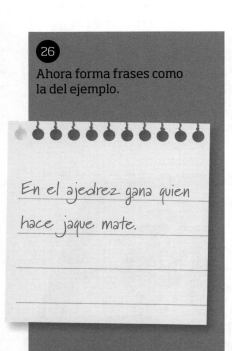

En el ajedrez gana quien hace jaque mate.

 27

Estas imágenes corresponden a juegos populares de América Latina. Relaciona cada uno con su descripción.

Catapiz (Colombia)

Trompo (Chile)

Rayuela (Argentina)

Tenta (Guatemala)

1. Se juega con un objeto de madera y una cuerda que se enrolla alrededor. Se agarra la cuerda por un extremo y, sin soltarla, se lanza el objeto al suelo, que empieza a girar.

2. Se juega al aire libre entre varias personas. Uno de los jugadores (el que "queda")tiene que perseguir a los otros hasta atraparlos. El primero al que atrapa "queda" y tiene que coger a otro, y así sucesivamente.

3. Se dibuja en el suelo una plataforma con ocho casilleros. El jugador tira una piedra que debe caer en el primer casillero. Luego, saltando sobre una pierna, debe recoger la piedra y volver al inicio. Después, lanza la piedra al siguiente casillero, y así sucesivamente hasta llegar al último.

4. Se juega sobre una mesa o en el suelo con unas pequeñas piezas de plástico de colores y una pelota pequeña. Para jugar, se lanza la pelota al suelo con una mano y mientras cae, hay que coger una pieza de plástico. Cuando la pelota vuelve a subir, hay que cogerla con la misma mano. Cada vez hay que coger más piezas y gana quien más coge sin haber perdido la pelota.

28 🔊 **13**

Escucha a una experta que habla sobre la rayuela y contesta estas preguntas.

1. ¿Qué representa el juego?

....

....

2. ¿Qué representan los recuadros?

....

....

3. ¿Qué simboliza la piedra?

....

....

4. ¿Por qué se llama también "el juego del cielo y el infierno"?

....

....

29

¿Existe este juego o alguno similar en tu país? ¿Cómo se llama? ¿Cómo se juega?

30

Escoge un juego popular de tu país, investiga sobre su origen y escribe un texto.

31 🔊 **14-17**

Escucha los anuncios. ¿A qué juguete se refiere cada uno?

32 👥 🔊 **14-17**

Vuelve a escuchar los anuncios y toma notas en tu cuaderno sobre estos aspectos. Luego, coméntalos con tus compañeros.

¿A quién va dirigido cada uno?
¿Qué se dice sobre cada juguete?
¿Cuál te parece mejor?

←

33 👥

¿Cuáles de estos juguetes les comprarías a los siguientes niños? ¿Por qué? Hablad de ello en grupos de tres compañeros y poneos de acuerdo en la elección.

1. Leo, 8 años. Le encanta jugar solo.
2. Carmen, 13 años. Le gustan los juegos de estrategia y los videojuegos.
3. Ismael, 4 años. Es muy creativo y se pasa el día pintando.
4. Carlota, 5 años. Le gusta mucho la plastilina y jugar al aire libre.
5. Valentín, 3 años. Le gusta imitar a los adultos e inventar historias.
6. Guillermo, 7 años. Lo que más le gusta es ver dibujos animados en la tele y la ciencia ficción.

- Pizarra con rotuladores
- Risk (juego de estrategia)
- Legos de *El hobbit*
- Consola educativa
- Plastilina de colores con herramientas y moldes
- Maletín de médico
- Circuito de coches
- Puzle
- Bicicleta

—Yo, a Carlota, le regalaría la bicicleta, porque le gusta estar al aire libre.
—Pero es muy pequeña, ¿no? Yo le compraría mejor el el maletín de médico. 🙾

ARCHIVO DE LÉXICO

34

Continúa las series.

jugar con › una pelota › ....

› ....

jugar a › las cartas › ....

› ....

un juego de › mesa › ....

› ....

una partida de › mus › ....

› ....

un partido de › tenis › ....

› ....

35

Escribe en cada caso un nombre de juego.

Un juego de mesa que te gustaba de pequeño:

....

Un juego de cartas al que te gustaría aprender a jugar:

....

Un juego de adultos que se puede jugar al aire libre:

....

Un juego divertido para jugar solo:

....

Un juego aburrido:

....

36

Comenta las respuestas de la actividad anterior con dos compañeros. ¿Coincidís en algo?

37

Completa cada una de las expresiones de valoración con su verbo correspondiente y añade una actividad para cada una, como en el ejemplo.

está **prohibido:** ....

peligroso: ....

triste: ....

urgente: ....

terrible: ....

genial: ....

bueno: ....

una tontería: ....

necesario: ....

ridículo: ....

mal: ....

38

Busca en el texto de las páginas 44 y 45 del Libro del alumno los verbos con los que se combinan las siguientes palabras.

.... **el tiempo**

.... **el rato**

.... **en grupo**

.... **tensiones**

.... **el trabajo en equipo**

.... **en familia**

.... **a comunicarse**

.... **conflictos**

.... **de forma sana**

VÍDEO

campus.difusion.com

39

¿Recuerdas a Joaquín Dorca? Señala si estas afirmaciones sobre los juegos corresponden con lo que él dice y comprueba luego con el vídeo. Corrige aquellas que no son correctas.

	V	F
1. El juego es muy atractivo porque la gente se acostumbra a seguir una rutina cuando juega.	☐	☐
2. El juego de mesa actual dura menos que el del siglo pasado.	☐	☐
3. La gente tiene que adaptar los juegos de mesa actuales para que sean divertidos.	☐	☐
4. A la mayoría de la gente le gusta el mismo tipo de juegos.	☐	☐
5. En realidad, los juegos solo sirven para divertirse y pasar el rato.	☐	☐
6. Cuando un juego tiene un resultado serio, ya no es un juego.	☐	☐

40

Anota los juegos y juguetes que aparecen en el vídeo. ¿Los conoces todos? ¿A cuáles has jugado? ¿Cuál te gusta más? Habla con un compañero.

41

Fíjate en estas frases que dice Joaquín Dorca. ¿Puedes expresar con otras palabras lo que aparece destacado en cada una?

1. Cuando somos niños, es una actividad aceptada por todo el mundo y parece que sea lo que toca hacer, pero, en definitiva, jugamos siempre.

....

....

2. El juego de mesa ahora está de moda porque se ha reinventado.

....

....

3. El videojuego y el juego de mesa compiten por el tiempo de ocio de las personas. Se tiende a pensar que forman parte de la misma familia, de la misma categoría, cuando no es tan cierto.

....

....

4. La edad tiene muy poco que ver en este aspecto.

....

....

42

Entra en la web de Devir y elige una de estas tres categorías:

- **juegos de cartas**
- **juegos de mesa**
- **juegos de rol**

Luego busca en la categoría que has elegido el juego que más te guste y preséntaselo a tus compañeros. ¿Cuál es el más divertido? ¿A cuál quieren jugar más compañeros?

RICO Y SANO

01
ORIGEN: ESPAÑA

Habla con tus compañeros sobre los siguientes temas.

¿Cuál era tu comida preferida cuando eras pequeño?
¿Cuál es el plato más raro que has comido en tu vida?
¿Te gusta la comida picante?
¿Eres o has sido alguna vez vegetariano?
¿Tienes alguna costumbre especial con las comidas?

2

Vuelve a leer el texto de las páginas 52 y 53 del Libro del alumno y contesta las preguntas.

1. ¿Cuál es la principal región española productora de aceite de oliva? ¿Desde cuándo?

....

2. ¿Por qué son buenas las legumbres para la salud?

....

3. ¿Cuál es el mejor jamón?

....

4. ¿De dónde proviene el tomate?

....

3

Piensa en tres preguntas más sobre datos que se dan en el texto, escríbelas en un papel y dáselas a tu compañero. Él debe escribir las respuestas.

4

Busca en el texto los verbos para las siguientes acciones.

1. Poner salsa sobre una ensalada y removerla:

....

2. Juntar dos o varios alimentos:

....

3. Quitar la piel de un alimento:

....

4. Hacer aumentar la temperatura de un alimento, por ejemplo en el microondas:

....

5. Cocinar un alimento en una sartén con aceite:

....

6. Dejar un alimento durante unas horas en un recipiente con agua fría:

....

7. Cocinar un alimento en un cazo con agua a 100 grados:

....

5 🔊 18-20

Vuelve a escuchar los audios de la actividad 1F del Libro del alumno y completa la lista de alimentos que se mencionan en cada uno.

1.

salmón ahumado,

2.

miel,

3.

dulce de leche,

6

Y tú, ¿qué alimentos tienes siempre en casa? ¿Para qué los usas? Habla con un compañero.

66

—Yo tengo siempre queso fresco.
—¿Queso fresco? Ah, qué rico, sí. ¿Y para qué lo usas?
—Pues para muchas cosas: ensaladas, postres... **99**

7 🔊 21

Dos personas hablan sobre un alimento que una de ellas siempre tiene en casa. ¿Cuál? ¿Para qué lo usa?

8

Completa estos consejos para cocineros novatos con los verbos entre paréntesis en la forma **tú** del imperativo.

1. (elaborar) *Elabora* un menú para la semana y (hacer) .... la compra de acuerdo con el menú.

2. Antes de cocinar un plato, (preparar) .... los ingredientes para tenerlos a mano.

3. Antes de empezar a cocinar, (ordenar) .... la cocina, friega y (guardar) ....los cacharros que no vas a necesitar.

4. (No cocinar) .... con prisas. Cada alimento necesita su tiempo. (Tomarse) .... tu tiempo y (disfrutar) .... mientras cocinas.

5. Si la comida se te pega, (retirar) .... la cacerola del fuego y (traspasar) ....la comida a otra sin rascar el fondo. Así podrás salvar una parte.

6. (Tener) .... cuidado con la sal. Es mejor quedarse corto que pasarse. Lo primero tiene solución; lo segundo no.

7. Al descongelar alimentos, (no romper) .... la cadena del frío: (sacarlos) .... del congelador, (ponerlos) .... en la nevera y, una vez descongelados, (dejarlos) .... a temperatura ambiente.

8. Si tienes invitados, (cocinar) ....lo que sabes. (no preparar) .... un plato que no has hecho nunca. Con el tiempo podrás ir preparando platos más elaborados.

9

¿Conoces consejos o trucos para comprar o preparar alimentos? Escríbelos en imperativo.

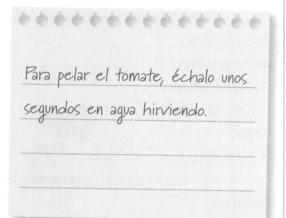

Para pelar el tomate, échalo unos segundos en agua hirviendo.

10

En tu cuaderno, escribe consejos para uno de estos grupos de personas.

1. viajeros novatos
2. internautas novatos
3. padres novatos
4. estudiantes principiantes de español

11

Escribe lo que se pide en cada caso.

1. Un plato o alimento que no has probado nunca.

2. Una cosa que te chifla.

3. Un alimento que te da asco.

4. Una película o un libro que te apasiona.

5. Un regalo que te encanta hacer.

6. Un plato o alimento que te gustaría probar algún día.

12

Busca a un compañero de la clase con quien tengas en común algunas de las cosas de la actividad anterior. Luego coméntalo con el resto de la clase.

A Matteo y a mí nos chiflan los cómics.

02
EL ÉXITO DE LA COCINA PERUANA

13

Este es un fragmento del texto *Una gran variedad de climas y regiones,* de la página 56 del Libro del alumno. Vuelve a leerlo y después, con un compañero, intenta reconstruirlo sin mirar el libro.

Hace miles de años en Perú se empezaron a ....
....................**plantas como el maíz, la yuca y muchas**
variedades de patatas; ....**como**
la quinua o el amaranto; frutas y ....
como la chirimoya, el tomate, la calabaza, el aguacate;
....................**como los frijoles;**
....................**como el cacahuete y cientos de** ....
aromáticas. Los peruanos de la costa, además, siempre
han comido mucho ....**y**
y los de la selva amazónica, muchas ....
y vegetales. También fabrican desde siempre cerveza
de maíz (chicha) y de yuca (masato).

14

Lee este texto sobre Gastón Acurio y amplíalo con información del Libro del alumno o que encuentres en internet.

Gastón Acurio es uno de los cocineros más famosos de Perú y uno de los mejores del mundo. En su cocina fusiona la tradición peruana con sabores de todo el mundo. En 2011 realizó, junto con Ferran Adrià, el documental *Perú sabe: la cocina, arma social*, sobre los cambios sociales que la cocina está produciendo en el país.

....
....
....
....
....
....

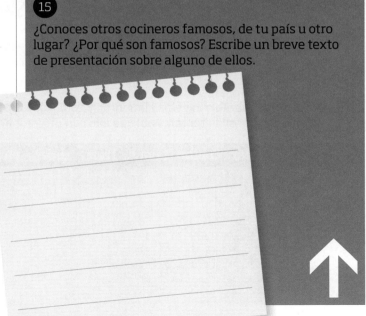

15

¿Conoces otros cocineros famosos, de tu país u otro lugar? ¿Por qué son famosos? Escribe un breve texto de presentación sobre alguno de ellos.

16

Mira las imágenes y relaciónalas con los verbos del recuadro.

- **guardar**
- **meter/sacar**
- **lavar**
- **revolver**
- **pelar**
- **cortar**
- **cocer**
- **picar**
- **servir**
- **echar**
- **freír**

 18

¿Te gustan el pescado o la carne crudos? ¿Conoces otros platos, además del ceviche, que lleven carne o pescado crudo? ¿Se cocina con pescado crudo en tu país? Habla con un compañero.

—En mi país es típico el *sushi*.
—Mmmm… Me chifla. Se hace con pescado crudo y arroz, ¿no?

 17

¿Qué haces normalmente con estos alimentos y cómo los preparas? Marca tus respuestas en la tabla y habla de ello con un compañero.

	pelar	cortar	lavar	freír	cocer	picar
carne cruda	☐	☐	☐	☐	☐	☐
lechuga	☐	☐	☐	☐	☐	☐
huevos	☐	☐	☐	☐	☐	☐
piña	☐	☐	☐	☐	☐	☐
macarrones	☐	☐	☐	☐	☐	☐
patatas	☐	☐	☐	☐	☐	☐

—Yo, las patatas, las pelo, las cuezo y las uso como guarnición de carne o pescado.
—Ah, pues a mí me encantan fritas. Normalmente las frío con mucho aceite.

19

Completa las frases con indicativo o subjuntivo y añade un final a las frases 3 a/b y 4 a/b. Piensa cuáles se refieren al futuro.

1.

a. Cuando (viajar) .... en tren, suelo llevar un libro por si me aburro.

b. El año que viene, cuando (viajar) .... a la India, pienso escribir un diario para contar mis experiencias.

2.

a. Normalmente nos quedamos en el trabajo hasta que el jefe (salir) .... de la oficina a las 19.00h.

b. Nos quedaremos toda la noche en la playa hasta que (salir) .... el sol.

3.

a. Cuando (levantarse, yo) .... temprano, suelo ....

b. Mañana, cuando (llegar, yo) .... a clase, ...

4.

a. Estudiaré español hasta que ....

b. Todas las noches leo un poco hasta que ....

20

¿Qué crees que está haciendo la gente de estas ciudades cuando en tu ciudad estás haciendo las siguientes cosas? Habla con un compañero.

	A las 8.00	A las 12.00	A las 18.00	A las 00.00
En mi ciudad				
En Nueva York				
En Tokio				
En São Paulo				
En Moscú				
En Sídney				

Mientras en Londres estamos comiendo, en Moscú están durmiendo. Son las 4 de la mañana.

21

Relaciona cada frase con su continuación lógica.

1. Voy un momento a la farmacia.

2. Yo pelo y corto las patatas.

3. Mientras Carlos pasea a su perro,

4. Tú quédate en casa y ordena la cocina.

5. Mientras los niños ven la tele,

6. Los jugadores celebran su triunfo.

a. Mientras tanto, tú bate los huevos.

b. Mientras, espérame en el coche.

c. Mientras tanto, el equipo perdedor vuelve al vestuario.

d. mira los escaparates de la Calle Mayor.

e. Mientras, yo voy a recoger a los niños.

f. sus padres esconden los regalos.

22

Completa esta receta de un postre tradicional español con los conectores que aparecen a continuación. En algunos casos puede haber más de una posibilidad.

- **hasta que**
- **cuando**
- **primero**
- **mientras (tanto)**
- **después**
- **por último**
- **luego**
- **a continuación**
- **más tarde**

RECETA DE ARROZ CON LECHE CREMOSO

Ingredientes (4 personas):
- 1 litro de leche
- 100 g. de arroz
- 70 g. de azúcar
- 1 limón
- 1 rama de canela
- 1 cucharada de canela en polvo
- hojas de menta (para decorar)

1.............................., lava el arroz con abundante agua.

2.............................., echa la leche en una cazuela y ponla a calentar a fuego medio. ....empiece a hervir, añade el arroz, la rama de canela y un poco de cáscara de limón.

3.............................., cuécelo a fuego suave durante unos 50 minutos y,..................................., ve removiéndolo para conseguir textura cremosa.

4.............................., añade el azúcar y cuécelo durante diez minutos más. Remueve..................................se deshaga el azúcar.

5................................... el arroz se haya templado, retira la canela y reparte el arroz con leche en cuatro recipientes y déjalo enfriar.

6...................................., espolvorea con un poco de canela en polvo y decora con unas hojas de menta.

23

Vas a escuchar a tres personas que hablan de algunos productos o platos de sus regiones. ¿De cuál habla cada uno?

1. ....
....
....
....
....

2. ....
....
....
....
....
....

3. ....
....
....
....
....

24 🔊 **22-24**

Vuelve a escuchar y apunta la información que dan sobre cada producto.

1.	2.	3.

25 👥

¿Cuál de ellos te apetecería más probar? ¿Por qué? Habla con un compañero.

ARCHIVO DE LÉXICO

 26

Termina las siguientes frases utilizando los verbos **echar**, **meter**, **guardar**, **poner** o **tirar**.

1. Para congelar un alimento,
lo meto en el congelador.

....

2. Si la comida está sosa,

....

....

3. Los yogures caducados,

....

....

4. Los restos de pollo,

....

....

5. Para conservar la leche fresca,

....

....

27

Esto es lo que algunos españoles asocian con varios alimentos. ¿Sabes de qué alimento se trata en cada caso?

1. ....

> delicioso, paella, arroz, lujo, zinc, boda, Galicia, fresco, Navidades, olor en los dedos, alergias, limón, al vapor

2. ....

> verde, taza, chino, con menta, rojo, blanco, café, tetera, bebida, caliente, Japón, excitante, dieta, infusión, cafeína, con azúcar, canela

3. ....

> caldoso, paella, bogavante, campo, guarnición, integral, *sushi*, con leche, China, hidratos de carbono, cereal, cazuela, verano

4. ....

> blanca, café, bebé, vaca, yogur, queso, lactancia, de soja, de avena, cereales, entera, desnatada

5. ....

> duros, fritos, gallinas, corral, tortilla, revueltos, proteínas, colesterol, blanco, amarillo, ecológicos, con beicon, desayuno, yema, clara, batir, media docena

 28

Completa con todas las asociaciones que se te ocurran. ¿Coincides con tus compañeros?

Huevos:	Té:	Leche:	Arroz:	Marisco:

29

Busca el intruso en cada serie.

1. una ensalada
☐ mixta
☐ poco hecha
☐ de la casa

2. una sopa
☐ tierna
☐ caliente
☐ picante

3. fruta
☐ madura
☐ fresca
☐ poco hecha

4. carne
☐ tropical
☐ cruda
☐ tierna

5. carne
☐ de buey
☐ de merluza
☐ de cordero

6. pescado
☐ al horno
☐ maduro
☐ a la plancha

 30

Escribe alimentos o platos que...

1. se pueden preparar a la brasa. ....

2. se comen normalmente hervidos. ....

3. se fríen. ....

4. sueles hacer al horno. ....

5. tienen que ser tiernos. ....

6. son tropicales. ....

7. te gusta comer a la plancha. ....

8. comes normalmente con las manos. ....

31

Completa con las combinaciones que se te ocurran.

- **una ensalada** *mixta* ....

- **una ensalada de** ....

- **una sopa** ....

- **una fruta** ....

- **una carne** ....

- **una carne de** ....

- **un pescado** ....

32

Escribe definiciones para cuatro palabras o expresiones de la unidad. Tus compañeros intentan adivinar a qué se refiere cada una.

33

¿Qué plato preparas o te gustaría preparar con cada uno de estos alimentos?
¿Es típico de algún lugar? ¿Es perfecto para alguna ocasión?

1. Aceitunas:

....

....

2. Nata:

....

....

3. Pescado crudo:

....

....

4. Berenjenas:

....

....

5. Arroz:

....

....

6. Patatas:

....

....

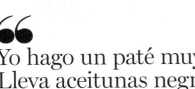

Yo hago un paté muy rico. Lleva aceitunas negras o verdes, aceite de oliva y sal. Con tostadas, es perfecto como aperitivo o para picar en fiestas.

34

Piensa en platos adecuados para cada una de las siguientes ocasiones.

1. Una cena de verano:

....

....

2. Un día de mucho frío:

....

....

3. Una fiesta con amigos:

....

....

4. El cumpleaños de tu pareja:

....

....

5. Una comida de Navidad o de Fin de Año:

....

....

6. Una primera cita:

....

....

7. Una fiesta de cumpleaños infantil:

....

....

8. Una comida en el campo con amigos:

....

....

35

Piensa en una canción, una película, un libro y/o una serie de televisión que te gustan mucho y en un plato para comer con cada uno de ellos. Luego explícales a tus compañeros por qué lo has elegido.

> A mí me gusta mucho *The Big Bang Theory*. Creo que el plato perfecto es una hamburguesa con mucho queso y...

36

Ahora, escribe nombres de platos que tengan las siguientes características.

1. Una cena de verano

....
....
....

2. Ni graso ni picante

....
....
....

3. Muy dulce

....
....
....

4. Con poca grasa y pocas calorías

....
....
....

5. Ligero y con muchas proteínas

....
....
....

6. Con muchas vitaminas y muy pocas calorías

....
....
....

VÍDEO

campus.difusion.com

37

¿Recuerdas el vídeo sobre la cocina de Perú? ¿Por qué se dice que en Perú la cocina es un arma social? Coméntalo con un compañero.

38

Vuelve a ver el vídeo y contesta estas preguntas.

1. ¿Qué factores son importantes en la cocina peruana? Márcalos. Luego añade al lado lo que se dice sobre ellos.

variedad...

creatividad...

riqueza..

esfuerzo..

diversión..

tradición...

compromiso..

responsabilidad..

frescura...

simpleza..

alegría...

2. Tres chicos hablan de su pasión por la cocina. ¿Qué dice cada uno? ¿Qué testimonio te parece más interesante?

Carmen Chuica	Renzo Peña	Alessandra Gonzáles

3. ¿Qué opinan los chefs acerca de los siguientes temas? Anota de qué tema habla cada chef y qué dice sobre ello.

Nombre del chef	Tema	¿Qué dice?
Ferrán Adrià		
Pedro Miguel Schiaffino		
Alex Atala		
Javier Wong		

39

En el vídeo pueden verse algunos platos típicos peruanos, entre ellos los tamales.
Busca en internet sus ingredientes y cómo se preparan, hazlo en casa y graba un vídeo.
Puedes compartirlo con tus compañeros en vuestro espacio virtual.

LA HISTORIA Y LAS HISTORIAS

01
¿ME CUENTAS UN CUENTO?

1

En tu cuaderno, describe algún personaje de un cuento tradicional: cómo es, qué carácter tiene, cómo va vestido... En clase, cada uno lee su descripción y los compañeros intentan averiguar de qué personaje se trata.

2

Vuelve a leer el texto de la página 64 del Libro del alumno. Luego, sin mirar, intenta completar este fragmento.

Parece que el o .... de muchos cuentos está en los ritos de iniciación de las s .... primitivas. Al cumplir una cierta edad, los niños tenían que s .... de su familia e ir solos al bosque o a un lugar p .... por primera vez (como Caperucita Roja, por ejemplo). Entonces, los hechiceros de la t ...., vestidos con .... y máscaras terroríficas, les hacían pasar pruebas difíciles. Para superarlas, les d .... armas (...). Después de superar el rito, los adolescentes v .... a casa y estaban preparados para c .... (casi todos los cuentos terminan en boda).

3

¿Quién hace cada una de estas cosas en el cuento "Los zapatos voladores"?

1. ¿Quién pide la mano de la princesa?

....
....

2. ¿Quién ofrece la mano de la princesa?

....
....

3. ¿Quién rescata a la princesa?

....
....

4. ¿Quién aparece y desaparece de pronto?

....
....

5. ¿Quién llora de felicidad?

....
....

4

Escribe tres preguntas más sobre el cuento y házselas a tus compañeros.

¿Quién/quiénes...?
¿A quién...?
¿De quién...?
¿Adónde...?
¿Por qué...?
¿Qué...?

5

En el cuento se utilizan muchos marcadores temporales. El primero es **hace mucho tiempo** y el último **durante**. Busca otros y anótalos aquí.

6

La tía Rosa organiza una comida con toda la familia para celebrar su cumpleaños. Escribe en tu cuaderno las palabras originales de cada uno.

1. Laura dijo que iba a llegar tarde porque tenía ensayo con su grupo de teatro.

"Voy a llegar tarde porque tengo ensayo con mi grupo de teatro".

2. Carlos y Alicia comentaron que a lo mejor no podían ir porque no podían dejar a los niños con nadie.

3. Tono preguntó si no se podía cambiar la fecha, que ese día tenía que trabajar.

4. Marina y Clara preguntaron varias veces quién podía llevarlas porque su coche estaba en el taller.

5. Su mejor amiga, Cuqui, exclamó que tenía muchas ganas de ir y preguntó a qué hora era la comida para organizarse.

6. Gonzalo preguntó quién iba y confesó que él no pensaba ir si estaba invitada Manuela, su ex.

7. Manuela llamó por teléfono aquella mañana para disculparse: se encontraba fatal y no podía ir.

7

Imagina que estas cosas te las dijo ayer un amigo que acaba de mudarse de casa. En parejas, pensad cómo transmitiríais la información hoy a otra persona. Fijaos en los elementos resaltados.

1. ¿**Vienes conmigo mañana** a recoger a Mario?

2. **Mis** padres llegan **dentro de dos días** y se quieren quedar **aquí conmigo**.

3. ¿**Me** ayudas a poner en su sitio **estos** libros que **me** han regalado?

4. Tengo que salir **ahora mismo**. ¿Puedes ocuparte de **mis** gatos?

8

¿Qué diferencia de significado hay entre estos pares de frases? Discútelo con un compañero e imaginad una frase para continuar cada ejemplo.

1.

a. Cuando llegó al hospital, dio a luz.
b. Cuando llegaba al hospital, dio a luz.

2.

a. Murió de repente cuando terminó de escribir la novela.
b. Murió de repente cuando terminaba de escribir la novela.

3.

a. Cuando se tomó el café, lo llamó su mujer y le contó lo de Carlota.
b. Cuando se tomaba el café, lo llamó su mujer y le contó lo de Carlota.

4.

a. La soprano se desmayó en el escenario cuando cantó el aria de Mozart.
b. La soprano se desmayó en el escenario cuando cantaba el aria de Mozart.

5.

a. De pequeños, íbamos de vacaciones a Menorca.
b. De pequeños, fuimos de vacaciones a Menorca.

9

Completa con información personal.

Tres cosas que hacías cuando eras pequeño/a

Celebrábamos la Navidad en casa de mis abuelos.

Tres cosas que hiciste cuando eras pequeño/a

Un año rompí el jarrón más caro de la casa.

10

Compara tus respuestas con las de un compañero. ¿Coincidís en algo?

11

Kepa siempre ha tenido mucha suerte en la vida. Iñaki no ha tenido tanta. ¿Qué frases asocias con cada uno de los dos?

	Kepa	Iñaki
1. En el colegio sacaba muy buenas notas.	☐	☐
2. En el colegio sacó una vez muy buena nota en Gimnasia.	☐	☐
3. De joven, hacía varias entrevistas de trabajo al año y duraba poco en cada empleo.	☐	☐
4. De joven, hizo una entrevista de trabajo y sigue trabajando en esa empresa.	☐	☐
5. Su padre le dejaba el coche para salir con sus amigos.	☐	☐
6. Su madre le dejó el coche una vez para salir con sus amigos.	☐	☐
7. Cuando era pequeño, se cayó de un árbol, pero no le pasó nada.	☐	☐
8. Cuando era pequeño, se caía a menudo de los árboles.	☐	☐
9. En la universidad salió una vez con una chica que le gustaba mucho.	☐	☐
10. En la universidad salía con chicas que le gustaban mucho.	☐	☐

12

Escribe en tu cuaderno cuatro frases más sobre Kepa e Iñaki: dos con indefinido y dos con imperfecto.

13

Lee la historia de este estudiante y escoge el marcador temporal más adecuado en cada frase.

1. Hace muchos años / De pronto viví unos meses en Utrecht, donde estuve estudiando con una beca Erasmus.
2. Un día / Unos días después conocí a Saskia, una chica holandesa, en una fiesta, y mientras / enseguida me enamoré de ella como un tonto.
3. Salimos juntos durante / durante un tiempo, hasta que se fue a Italia a vivir.
4. Al volver / Mientras volvía a España cuando acabó mi beca, encontré una carta de Saskia en mi casa: me invitaba a ir a Italia en verano.
5. Compré el billete de avión después de / aquella misma tarde y dos días después / mientras llegué a Roma.

 14

Imagina un final para estos fragmentos de cuentos infantiles.

1. **La princesa besó al sapo otra vez y,** entonces, ...
....

2. **El príncipe y la princesa vivieron felices** durante ....

3. **El gigante llamó a la puerta del castillo.** Enseguida ....

4. **La bruja desapareció por arte de magia** al beber ....

5. **Los animales nunca volvieron al bosque** después de ....

6. **Los reyes dormían tranquilamente en el palacio** cuando ....

7. **La vida en el pueblo era muy tranquila** hasta que un día ....
....

 15

Escribe una historia (real o inventada) sobre alguno de los temas que te proponemos. Intenta usar al menos cuatro de los marcadores temporales del recuadro.

- **Cómo conociste a una persona especial para ti.**
- **Algo divertido que ocurrió durante un viaje.**
- **Tu primer trabajo.**

┌───┐
│ • **un día**   • **al** + infinitivo │
│ • **entonces**   • **hasta que**   │
│ • **unos días/meses...** • **mientras**   │
│   **después**   • **enseguida**   │
│ • **aquel mismo día/año...**   │
└───┘

16

Lee tu historia en clase. Tus compañeros pueden hacerte preguntas sobre ella y tienen que adivinar si es verdadera o inventada.

←

02
LOS NIÑOS DE LA GUERRA

 17

Después de leer el texto de la página 68 del Libro del alumno sobre los niños de la guerra, reescribe las frases subrayadas con otras palabras que expresen lo mismo.

1. **Durante la guerra civil española (1936-1939), el Gobierno republicano y la Cruz Roja Internacional <u>evacuaron a más de 33 000 niños al extranjero</u>.**

....

....

2. **Francia, la Unión Soviética, Bélgica, Reino Unido, Suiza y México <u>fueron los países que los acogieron</u>.**

....

....

3. **Los Gobiernos de la Unión Soviética y México <u>se negaron a enviarlos de vuelta</u>.**

....

....

 18

Estas nueve palabras están en el relato "La trama del tiempo", de la página 68 del Libro del alumno. Localízalas. Lee después las cinco definiciones de abajo y decide a qué palabra corresponde cada una. Intenta hacerlo primero sin mirar el diccionario.

- encoger
- triciclo
- ruinas
- tijeretazo
- intacto
- aniquilar
- arboleda
- porcelana
- mimbre

1. Hacerse algo más pequeño. Por ejemplo, a veces la ropa en la lavadora con agua demasiado caliente.

....

2. Destruir algo totalmente, destrozarlo.

....

3. Juguete de tres ruedas con pedales para niños pequeños.

....

4. Material hecho de un barro muy fino, cocido y barnizado, inventado en China e imitado en toda Europa.

....

5. Que nadie lo ha tocado. Que no ha sufrido cambios.

....

 19

Volvemos a leer "La trama del tiempo". ¿Cómo interpretamos estas imágenes que encontramos en él?

1. **vivir mucha vida:** ....

2. **encogido por los años:** ....

3. **los golpes del tambor que le sacudían el pecho:** ....

....

4. **aparecer desde el fondo del tiempo:** ....

....

5. **gastarse abrazándose:** ....

 20

¿Qué te ha ayudado a averiguar el significado de cada palabra?

"

Triciclo es como *tres + cycle*, una bicicleta de tres ruedas, pero para niños, y en el texto habla de la infancia. **"**

21

Escribe en tu cuaderno las definiciones de otras dos palabras de la caja.

22

Señala cuáles de estas ideas aparecen en el relato y subráyalas en él.

1. Elena y Felisa habían sido amigas.
2. Felisa nunca había vuelto a esa casa desde que se fue.
3. Felisa estaba muy emocionada cuando llegó a la casa.
4. La casa de Felisa ya no existe: la destruyó el bombardeo de Guernica.
5. La historia transcurre hacia 1994.
6. La fuente de porcelana estaba rota y Elena había guardado un trozo.

23

Eduardo Galeano es el autor de "La trama del tiempo". Lee este fragmento de su biografía y complétalo con las palabras del recuadro.

- se había casado
- comenzó
- se casó
- tenía
- tuvo
- nació
- se exilió
- se había exiliado
- escribió

Eduardo Galeano .... en Uruguay el 3 de septiembre de 1940. .... su carrera periodística a inicios de 1960 como editor de *Marcha,* un semanario que .... como colaboradores, entre otros, a Vargas Llosa o Benedetti. En 1976 .... con Elena Villagra, pero entonces ya .... en otras dos ocasiones y .... tres hijos. Ese mismo año, después del golpe de Estado en Argentina, ... en España, donde .... una de sus obras más conocidas: *Memoria del fuego.* No era su primer exilio: en 1973 .... en Argentina tras el golpe de Estado en su país, Uruguay.

24

Busca en internet y añade alguna información a esta biografía. ¿Cuándo regresó Galeano a Uruguay? ¿Qué otros libros ha escrito? ¿Le han dado algún premio importante?

25

Escribe cinco frases sobre tu vida usando el pretérito indefinido y el pluscuamperfecto, como en el ejemplo.

Nací en 1986. Mi hermana mayor había nacido solo un año antes.

Escribe estos hechos en la vida de varias parejas en dos frases diferentes. Usa **después** y **antes**.

1. Raquel y Sergio

Enero de 2011: se conocen en una fiesta
Marzo 2011: se casan en una isla griega

Se conocieron en enero de 2011 y dos meses después se casaron.
Se casaron en marzo de 2011, aunque se habían conocido solo dos meses antes.

2. Marta y Sebastián

2009: se van a vivir juntos.
2013: nace su hija Elena.

3. Carlos y Aurora

3 de abril: Aurora conoce a Jorge en el gimnasio.
10 de mayo: Aurora y su marido, Carlos, se separan.

4. Jimena y Pedro

Hace 3 meses: se compran juntos una casa.
Hace dos días: se mudan a su nueva casa.

5. Luis y Rosa

Enero de 2010: Luis pierde su trabajo en su empresa.
Marzo de 2011: deciden irse a vivir al extranjero.

Estos son nombres y fechas relacionados con la guerra civil española. Escoge uno, busca información en internet y preséntalo ante tus compañeros. Recuerda que puedes utilizar recursos como los del recuadro.

- **Manuel Azaña**
- **Francisco Franco**
- **Brigadas Internacionales**
- **18 de julio de 1936**
- **Guernica**
- **Dolores Ibárruri**
- **1 de abril de 1939**

• antes (de)	• a los x años	• en 1937
• después (de)	• al empezar	• en el 37
• primero	• al terminar	• en los años 40
• cuando	• durante	

28

¿Sabes quiénes son estos dos personajes famosos del mundo hispano?

1. Nació en 1904 y murió en 1989.
2. A los tres años quería ser cocinero, a los cinco quería ser Napoleón, pero al final fue uno de los artistas españoles más conocidos.
3. A los 15 años ya había pintado como los impresionistas, primero, y como los cubistas después. Pero pronto se convirtió en el pintor surrealista más importante de España.
4. Se casó con una mujer que había estado casada con el poeta francés Paul Éluard.
5. En 1948 se estableció definitivamente en España después de haber vivido en Francia y Estados Unidos.

¿Quién es?

....

1. Nació en Argentina en 1919, y murió muy joven.
2. Fue muy influyente en la política de su país, pero antes había sido actriz de teatro y radio.
3. Ayudó al coronel Juan Domingo Perón, con quien se había casado en 1945, a llegar al poder.
4. Andrew Lloyd Webber escribió un musical sobre su vida, que se estrenó en 1978. La canción más famosa del musical es "No llores por mí Argentina".
5. Cuando murió, en 1952, el nuevo Gobierno militar envió su cuerpo a España para evitar peregrinaciones a su tumba.

¿Quién es?

....

 29

Escribe en tu cuaderno cinco frases sobre un personaje famoso de tu país. Tienes que emplear el pretérito pluscuamperfecto en al menos dos de las frases. Puedes usar algunas de las palabras del recuadro.

- antes
- después
- primero
- cuando
- a los X años

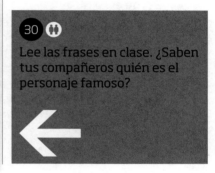

30

Lee las frases en clase. ¿Saben tus compañeros quién es el personaje famoso?

 31

En parejas: dibuja una línea del tiempo, marca con una X las fechas a las que haces referencia en la actividad 25 y escribe también las acciones con indefinido. Pásale tu dibujo a un compañero. Él tendrá que averiguar qué había pasado antes de cada una de esas acciones.

1985 1987

1986
Nací

—A ver... En 1986 naciste, ¿no?
—Sí.
—Entonces, un año antes, ¿se habían casado tus padres?
—No.
—Pues...

Con esta información sobre la arquitecta Ana María Lombardo, rellena los datos que faltan en su currículum vitae.

1. **Acabó la carrera en 1987, pero dos años antes ya había empezado a trabajar en el estudio de su padre, Lombardo & Asociados.**
2. **Desde mayo de 1988 y durante cinco meses, estuvo haciendo prácticas en Berlín con una beca Erasmus. Al final se quedó dos años más en esa ciudad trabajando en un estudio de arquitectura.**
3. **Un año después de volver a España abrió su propio estudio en Madrid junto a su marido, el arquitecto Michele Orta, al que había conocido en Berlín.**
4. **En los años 90 hicieron numerosos trabajos para los Ayuntamientos de Madrid (1992), Toledo (1994) y Ávila (1998).**
5. **En 2002 ganaron un concurso para construir 1000 viviendas sociales en un barrio de Madrid. Doce años antes, en Berlín, habían hecho un curso en la universidad sobre viviendas sociales en Europa.**
6. **En 2005 dejaron Madrid y se fueron a vivir a un pueblo pequeño en Cádiz y desde entonces trabajan solo en la rehabilitación de viviendas rurales.**

Ana María Lombardo / Curriculum vítae

1980-1987: *Carrera de Arquitectura en la Universidad de Castilla–La Mancha*

1985-1987: ....

Mayo-octubre 1988: ....

....

Octubre 1988-octubre 1990: ....

1990: *Curso "Las viviendas sociales en Europa" en la Universidad de Berlín*

1991: ....

1992-1998: ....

2002: ....

2005: ....

Observa de nuevo esta línea de la vida y completa después las frases.

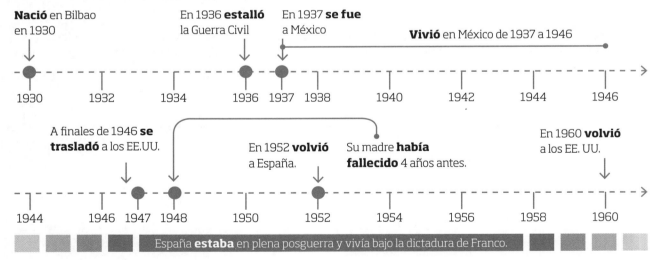

Nació en Bilbao en 1930 · En 1936 **estalló** la Guerra Civil · En 1937 **se fue** a México · **Vivió** en México de 1937 a 1946

1930 · 1932 · 1934 · 1936 · 1937 · 1938 · 1940 · 1942 · 1944 · 1946

A finales de 1946 **se trasladó** a los EE.UU. · En 1952 **volvió** a España. · Su madre **había fallecido** 4 años antes. · En 1960 **volvió** a los EE. UU.

1944 · 1946 · 1947 · 1948 · 1950 · 1952 · 1954 · 1956 · 1958 · 1960

España **estaba** en plena posguerra y vivía bajo la dictadura de Franco.

1. **En 1937 se fue a México. El año anterior** ....

2. **En 1946 dejó México, a donde** .... **unos años antes.**

3. **En el 52 volvió a España, pero entonces su madre ya** ....

4. **En 1960 volvió a EE. UU., país en el que** .... **entre el 46 y el 52.**

 34

Lee estas frases sobre la vida del músico de rock Chema Ayala y escribe después las acciones en la línea de su vida.

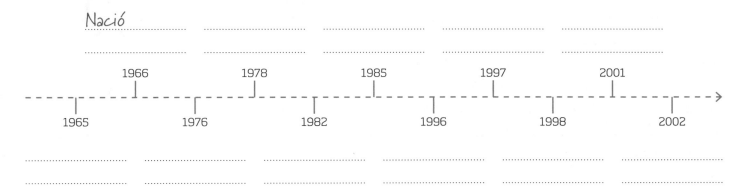

Nació en enero de 1966. Seis meses antes su padre había fallecido en un accidente.
Cuando cumplió 12 años, su madre le regaló una guitarra. Dos años antes su madre se había vuelto a casar.
En 1985 empezó a tocar con el grupo Acme en Granada, a donde se había ido a estudiar tres años antes.
Cuando editaron su primer disco, en 1998, ya habían estado tocando durante dos años por toda España.
Murió muy joven, en 2002. Había dejado la música el año anterior.

Nació

....

....

```
              1966            1978            1985            1997            2001
               |               |               |               |               |
- - - - - - - -|- - - - - - - -|- - - - - - - -|- - - - - - - -|- - - - - - - -|- - - - - - - ->
       |               |               |               |               |               |
     1965            1976            1982            1996            1998            2002
```

....

....

 35

Piensa en momentos de tu vida en los que te han pasado cosas como las siguientes. Toma notas para contarlo después en clase.

Una vez que pasé mucho miedo.
Una vez que pasé mucha vergüenza.
Una vez que lo pasé muy bien.
Una vez que me pasó algo muy extraño.

66

Pues yo una vez estaba en la cola del cajero y ¿sabéis qué? Después de esperar un rato, se acercó una señora y... **99**

 36

Escoge una de las anécdotas que ha contado un compañero y escríbela. Intenta utilizar algunos de estos conectores.

antes/   durante
después (de)   al + infinitivo
a partir de   x días/meses

 37

Piensa en momentos de tu vida y completa estas frases.

1. Cuando terminé el colegio,...
....

2. Cuando empecé a estudiar español,.............................
....

3. Cuando..
....

4. Cuando..
....

5. Cuando..
....

38

Completa esta historia con los verbos entre paréntesis en imperfecto e indefinido.

Yo (tener) .... unos siete años y (pasar) ....
.... todos los veranos con mis abuelos en la playa. Mis
abuelos (vivir) .... en una casa grande frente al mar y yo
(dormir) .... solo en una habitación con
una ventana muy grande. Una noche, cuando (estar) ....
.... ya completamente dormido, me (despertar) ....
.... un trueno terrible.
(Saltar) .... de la cama y (correr) ....
.... a la habitación de mis abuelos. Pero mis abuelos no
(estar) .... en su habitación. ¡No (haber) .... nadie en la casa! (volver) ....
muerto de miedo a mi cama y (esconderme) .... entre las sábanas. (Gritar) .... muchas
veces: "¡Abuelo!, ¡abuela!", pero nadie me
(contestar) .... Al final, (quedarme) .... dormido. Al día siguiente mi abuela,
me (decir) ....: "¡Qué extraño! ¡Esta noche no ha habido ninguna tormenta!"

39

Escoge uno de estos tres temas y escribe sobre él. En clase vamos a decidir cuál
es la historia más interesante, divertida u original de todas.

1. La cosa más original que te han dicho

¿Dónde estabas? ¿Con quién? ¿Por qué te lo dijeron? ¿Cómo reaccionaste?

2. El viaje más interesante de tu vida

¿Cuántos años tenías? ¿Con quién fuiste? ¿Por qué fuiste a ese lugar? ¿Cómo era el lugar?

3. El trabajo más extraño que has hecho nunca

¿Cuándo fue? ¿Qué tenías que hacer? ¿Trabajabas solo? ¿Recuerdas a algún compañero? ¿Por qué
lo hacías? ¿Recuerdas alguna anécdota?

ARCHIVO DE LÉXICO

 40

Escribe qué se hace en cada caso combinando un elemento de cada columna.

contestar	perdón
contar	una anécdota
dar	por qué ha pasado algo
pedir	un cuento
decir	un secreto
explicar	que no
	que sí
	las gracias
	el número de teléfono, la dirección

1. Perdone, lo siento mucho.
   Pedir perdón

2. Oye, muchas gracias por invitarme, de verdad, gracias.

3. Sí, sí, claro que me gusta.

4. Una vez, cuando tenía 5 años, me caí de un árbol y

5. Marta no ha podido venir. Está enferma.

6. Érase una vez un rey que tenía tres hijas y

7. Sí, claro, toma nota: es el 93 246772.

8. ¿Yo? No, yo no.

9. ¿Me da su dirección, por favor?

10. No se lo digas a nadie, pero ayer vi al jefe

41

Escucha y señala qué hace Álex en cada caso.

	1	2	3	4	5	6
1. Dar una conferencia.	☐	☐	☐	☐	☐	☐
2. Contar un chiste.	☐	☐	☐	☐	☐	☐
3. Contar cómo conoció a alguien.	☐	☐	☐	☐	☐	☐
4. Responder a un cuestionario.	☐	☐	☐	☐	☐	☐
5. Pedir información.	☐	☐	☐	☐	☐	☐
6. Explicar cómo se hace algo.	☐	☐	☐	☐	☐	☐

 42

¿Qué se hace en cada caso, pedir o preguntar?

	Pedir	Preguntar
1. ¿Me dejas un boli, por favor?	☐	☐
2. ¿Cómo se llama tu perro?	☐	☐
3. ¿Tienes un diccionario?	☐	☐
4. ¿Recoges la mesa conmigo?	☐	☐
5. Su número de pasaporte, por favor.	☐	☐
6. ¿Hay habitaciones libres?	☐	☐
7. ¿Me da la llave de la habitación?	☐	☐
8. Compra pan al volver, por favor.	☐	☐
9. ¿Me puedes ayudar con la mesa, por favor?	☐	☐

43

¿Qué elemento sobra en cada lista? ¿Por qué?

1.	**2.**	**3.**	**4.**
bruja	descolgar	un día	un secreto
príncipe	contestar	de pronto	una anécdota
madrastra	explicar	con cuidado	un chiste
escritor	contar	hace mucho	una mentira
ogro	preguntar	por último	una conferencia

1. ....

2. ....

3. ....

4. ....

44

Completa las siguientes frases de manera lógica.

1. Me mudé a Barcelona en los años 90. Entonces ....

....

2. Dejé mi trabajo de secretaria en el 2012 y entonces ....

....

3. Viajé a Bogotá en agosto de 1995. Hasta entonces ....

....

4. Al acabar la universidad, empecé a ir al gimnasio. Desde entonces ....

....

VÍDEO

▶ campus.difusion.com

¿Recuerdas el cuento del duende de los deseos? Con un compañero reconstruye la historia con la ayuda de los dibujos. Luego volved a ver el vídeo y compara vuestra versión con el cuento original.

Había una vez, hace mucho tiempo ...

....

....

....

....

....

....

.... **Y colorín, colorado, este cuento se ha acabado.**

¿Hay algún duende o genio famoso en los cuentos de tu cultura? Preséntaselo a tus compañeros.

CIUDADES Y PUEBLOS

01
¿CAMPO O CIUDAD?

Lee de nuevo el texto "¿Campo o ciudad?" de la página 76 del Libro del alumno y contesta estas preguntas.

1. ¿Qué son los neorrurales?

....

2. ¿A qué se dedican?

....

3. ¿Por qué decidieron irse a vivir al campo?

....

¿Eres un neorrural en potencia? Basándote en el texto de la página 76, completa las palabras que faltan en el test.

1. ¿Vives en una c.................... grande?
2. ¿Estás cansado/a de los p.................... de la ciudad en la que vives?
3. ¿Crees que serías más feliz con más espacio y más t.................... en tu vida?
4. ¿Te consideras j....................?
5. ¿Tienes h.................... pequeños?
6. ¿Te gusta la n....................?
7. ¿Podrías hacer tu t...................., o parte, desde casa?
8. ¿Te gusta hacer t.................... r.................... en vacaciones?

Escribe una pregunta más para el test.

Hazle el test a un compañero y suma después el número de síes. ¿Estáis de acuerdo con los resultados?

7-8 síes: seguramente ya eres un neorrural y visitas la ciudad solo para ir al cine.

5-7 síes: podrías mudarte al campo sin problemas; seguramente ya lo has pensado alguna vez.

3-5 síes: no parece que busques un cambio en tu vida, pero nunca se sabe, tal vez en el futuro.

0-2 síes: definitivamente, tú no eres un neorrural en potencia.

Yo no estoy de acuerdo. Según el test, soy un neorrural en potencia, pero a mí me gusta más la ciudad.

5

Antes de leer las opiniones de las páginas 76 y 77, lee estas frases. ¿Cuáles crees que se refieren a un pueblo y cuáles a una ciudad?

	Pueblo	Ciudad
1. La vida es cada vez más estresante.	☐	☐
2. Necesitas el coche para todo.	☐	☐
3. Todo el mundo me conoce y sabe lo que hago.	☐	☐
4. Yo lo recomiendo, sin duda, sobre todo si tienes un hijo.	☐	☐
5. La vida aquí es muy dura.	☐	☐
6. Hay de todo: escuelas, parques, un centro de salud…	☐	☐
7. No es fácil hacer amigos.	☐	☐
8. La vida puede ser a veces un poco aburrida.	☐	☐
9. Es más difícil hacer amigos.	☐	☐

 6

Escribe tres frases más sobre este tema que crees que pueden aparecer en el foro. Lee después los textos de las páginas 76 y 77, y comprueba si tus hipótesis eran correctas.

 7

Escribe una entrada para un foro de internet preguntando sobre uno de estos temas.

- **Trabajar a tiempo completo o a media jornada.**
- **Hacer la compra por internet o en tiendas del barrio.**
- **Ir de vacaciones a un hotel o a un camping.**
- **Vivir con teléfono móvil o sin él.**

8

Intercambia tu texto con un compañero que haya escrito sobre un tema diferente al tuyo y contesta por escrito a su pregunta. Tienes que usar al menos dos de estas estructuras.

- **es igual de**
- **(no) es tan**
- **es mucho más**
- **(no) hay tantos/as**

9 **31**

Completa el texto con una frase del recuadro. Escucha después la audición y comprueba que has acertado.

---
a. Pueblito, diríamos, ¿eh?
b. a ver si por nuestra cuenta
c. Un rollazo
d. mira, para que te hagas una idea
e. hay pueblos y pueblos
f. estás pegado al asiento del coche
g. diez kilómetros para arriba, diez kilómetros para abajo
h. no sé

– Oye, pues la verdad es que aquí en el campo se está muy tranquilo, ¿eh? Pero ¿por qué os mudasteis?

– Sobre todo porque... por el tema de trabajo. Porque en la ciudad, ya... ninguno de los dos estaba consiguiendo nada y decidimos,

...., intentar

irnos para fuera y montar un negocio

nosotros mismos, ...

nos iba mejor, y aquí estamos, ya han

pasado dos años.

– Sí, sí. Pero, claro, ...

Y este pueblo es bastante pequeño, ¿no?

– ....

Pueblito, pueblecito. Sí, la verdad es que es muy pequeño, le faltan unas cuantas cosas para hacer todo lo que necesitas. Dependes de un coche. El día que el coche no funciona o que uno tiene que hacer una cosa y el otro, otra, necesitas dos coches y para todo

....

– Claro, y además es difícil, tiene que ser más difícil conseguir cosas en un pueblo que en una ciudad.

– O sea, ..., la escuela de los

niños está a diez kilómetros del pueblo. ¿Tú

sabes lo que es cada día ....?

– ...., vamos.

10

Relaciona el comienzo de cada frase con su continuación más probable.

1. Voy a sacar los billetes de avión para las vacaciones con antelación...
a. y así los puedo conseguir más baratos.

2. Voy a sacar los billetes justo el día antes del viaje, ...
b. así que tendré que pagar una fortuna. ¡500 euros ida y vuelta!

3. Tendrías que practicar el piano todos los días.
a. así que le han ofrecido tocar en el teatro.

4. Bruno ha ganado el concurso de piano, ...
b. Así, en poco tiempo mejorarías mucho.

5. En nuestro antiguo ático había...
a. tan abandonada que tuvimos que restaurarla por completo.

6. La casa de mis abuelos en el pueblo estaba...
b. tantas goteras que tuvimos que mudarnos a otro piso.

7. El precio de los pisos en la ciudad ha bajado...
a. tanto que hemos podido mudarnos al centro.

8. La venta de billetes por internet fue...
b. tan rápida que no pudimos comprar ninguno.

11

Escribe un final para cada frase y completa las frases 5 y 10 usando recursos para expresar consecuencias.

Sobre mi pueblo o ciudad

1. Hay tantos/as *edificios* que *no se puede ver el cielo a veces*.

2. Los pisos son tan *caros* que *tuvimos que mudarnos lejos del centro*.

3. Había tanto/a *polución* que *estuvimos mala cada mes*.

4. Habría que *poner* *más árboles, parques y huertos en las ciudades*. Así, la gente *no serían estresados / se sentiría mal*

5. ....

Sobre mi aprendizaje de español

6. Quería *leer una novela*, así (es) que *podría conocer más la cultura hispánica*.

7. (No) me gustaba/n *no ser capaz de* *hablar con fluidez*, así (es) que *querría podría viajar sola a AL*

8. Tengo que *estudiar más*. Así, *voy a me mejorarme*

9. He *decidido de practicar cada día* tanto que *tomar clases*.

10. ....

12

Piensa en tu lugar de trabajo, en tu escuela de español o en tu casa y escribe sobre ellos con los recursos del recuadro.

> **Falta/faltan**
> **(No) hay suficiente/s**
> **Hay muy poco/a/s**
> **Hay mucho/a/s**
> **Hay bastante/s**
> **Hay demasiado/a/s**

 13

Lee este texto sobre Romualdo Vílchez. ¿Cuántas comparaciones puedes escribir entre su vida y la tuya usando los recursos para comparar de la página 76 del Libro del alumno?

Romualdo Vílchez vive ahora en una casa de 250 m2 con su mujer y sus dos hijos. Tiene una biblioteca con cerca de 1000 volúmenes y una colección de películas con más de 2000 DVD. Es famoso porque ha escrito varios libros y ha participado como actor en muchas series y programas de la televisión, pero su vida no siempre fue así. "De pequeño yo era un niño tímido y pobre de un barrio de Sevilla", nos cuenta. "Solo recuerdo un juguete de mi infancia: un coche que me hizo mi padre". Romualdo vivía con otros seis hermanos y sus padres en una casa de 70 m2 que estaba a una hora andando de la escuela. A pesar de esas dificultades, dice que "fui un niño muy feliz, con muchos amigos. Y, ya de joven, un chico con mucho éxito entre las chicas porque era muy gracioso, según me decían, aunque no era nada guapo". Y así empezó su carrera como actor: contando chistes en fiestas de amigos. Ahora, treinta años más tarde, después de tres matrimonios y de haber vivido en más de diez ciudades diferentes, sigue siendo el mejor amigo de sus amigos.

 Mi casa no es tan grande como la de Romualdo. ❞

 14 ⏸

Pregunta a un compañero de clase y completa con sus datos esta ficha con la encuesta sobre la calidad de vida. Compara después sus datos con los que ha escrito Clara usando **(no) tan... como**, **(no) tanto/a/os/as... como** y otros recursos para comparar.

	Clara	Tu compañero
Hora a la que se levanta	6.30 h	
Horas de trabajo al día	10-12	
Horas de sueño	7	
Días de vacaciones al año	15	
Compras en el supermercado por semana	1	
Horas de deporte o ejercicio a la semana	2	
Número de viajes en avión al año	30	
Cantidad de libros que lee al año	10	

❝ Helen viaja menos que Clara, no es tan viajera. ❞

 15 🔊 **32**

Escucha esta discusión entre dos personas y contesta las preguntas.

1. **¿Sobre qué discuten?**
....

2. **¿Qué quiere él?**
....

3. **¿Qué quiere ella?**
....

4. **¿Qué razones da él?**
....

5. **¿Y ella?**
....

02
CIUDADES INTELIGENTES

 16

Según el texto "Ciudades Inteligentes" de la página 80 del Libro del alumno, ¿cuáles son los cuatro principales problemas que tienen las grandes ciudades?

1. ....

2. ....

3. ....

4. ....

 17

En la ciudad en la que vives ahora o en otras en las que has vivido, ¿existe alguno de esos problemas? ¿Hay otros además? Haz una lista.

18

Busca en internet información sobre alguna de estas iniciativas en ciudades del mundo hispano (o alguna otra que conozcas de otra ciudad del mundo) y escribe un texto similar a los del libro de clase.

- **Wifi gratuita en Bogotá**
- **Bus eléctrico en Santiago de Chile**
- **Abilidade, una aplicación para discapacitados en Cáceres**
- **Santander City Brain, la plataforma de ideas de Santander**

 19

En clase, busca a un compañero que haya elegido una iniciativa diferente y explícale, sin leer el texto que has escrito, en qué consiste. Tu compañero te va a explicar el suyo. ¿Cuál os parece más interesante? ¿Se podría aplicar en vuestra ciudad? Explicádselo al resto de la clase.

20

¿Cuáles son los sujetos de los verbos resaltados? Escríbelos.

1. Carlota se está arreglando para salir esta noche. *Carlota* / *Carlota*

2. La madre de Carlota le está planchando un vestido para que pueda ponérselo esta noche. .... / ....

3. Carmen y yo nos hemos comprado unas bicis para ir al trabajo. .... / ....

4. Carmen ha guardado la bici en el garaje para que no se moje con la lluvia. .... / ....

5. Agustín y Neus han quedado esta tarde para trabajar en un nuevo libro. .... / ....

6. Agustín y Neus han trabajado mucho para que el libro esté listo antes del verano. .... / ....

7. Voy a llamar por teléfono ahora mismo al cine para reservar las entradas para mañana. .... / ....

8. Voy a llamar ahora mismo a mi hermana para que reserve las entradas para mañana. .... / ....

21 🔊

Completa las frases con el verbo en indicativo o en subjuntivo. ¿Con qué opiniones estás de acuerdo?
¿Por qué? Coméntalo con un compañero.

1. **Yo creo que** (ser) .... **fundamental hacer ejercicio todos los días.**

2. **No creo que** (ser) .... **bueno beber más de un litro de agua al día.**

3. **Pienso que circular en bicicleta sin casco** (tener que) .... **prohibirse.**

4. **No pienso que ir sin camiseta por la ciudad** (tener que) .... **prohibirse.**

5. **No creo que** (haber) .... **vida fuera de nuestro planeta.**

6. **Creo que** (haber) .... **otras civilizaciones en planetas lejanos.**

7. **Pienso que en casa se** (trabajar) .... **mejor que en una oficina.**

8. **No pienso que solo en casa se** (trabajar) .... **mejor que con los compañeros en una oficina.**

22 🔊

Escribe frases sobre los siguientes temas siguiendo el modelo de las del ejercicio 21, y coméntalas con las de tu compañero. ¿Estáis de acuerdo en muchas cosas? Añade otros dos temas que consideres polémicos y escribe también sobre ellos.

**los derechos de los animales
tener mascotas peligrosas en casa
llevar perros a la playa pública
hacer ruido en la calle
prohibir fumar en la terrazas**

....

....

....

....

....

....

23

Los políticos de tu ciudad han tomado estas decisiones. Escribe tu opinión sobre ellas con los recursos del recuadro.

```
┌─────────────────────────────────────────────────────────┐
┆ Yo lo veo bien/mal/regular porque...                      ┆
┆ Yo lo encuentro muy/bastante/un poco + adjetivo porque... ┆
└─────────────────────────────────────────────────────────┘
```

1. En el centro de la ciudad solo se podrán usar coches eléctricos para evitar la contaminación.

....

....

2. Los niños estarán en la escuela dos horas más cada día para facilitar que los padres trabajen más también.

....

....

3. Todos los transportes públicos serán gratuitos durante el fin de semana.

....

....

4. Las tiendas podrán abrir y cerrar a la hora que deseen para favorecer el consumo.

....

....

5. No se podrá fumar en calles ni plazas del centro. Solo estará permitido en espacios públicos en las afueras.

....

....

6. El Ayuntamiento instalará wifi en toda la ciudad. Será gratuito solo para los mayores de 65 años.

....

....

24

Anota los problemas más graves que existen en el pueblo o la ciudad donde naciste o en otro lugar que conozcas bien, descríbelos brevemente y explica sus causas.

1. ....
....
....
....

2. ....
....
....
....

3. ....
....
....
....

4. ....
....
....
....

25

Intercambia tu lista con dos compañeros. Vais a sugeriros algunas soluciones o mejoras usando las estructuras del recuadro. ¿Qué sugerencias te parecen más interesantes?

—*Se debería…*
—*Habría que…*
—*Tendrías que…*
—*Sería importante…*

1. Para solucionar el problema de ....
....
....
....

2. ....
....
....

3. ....
....
....

4. ....
....
....

ARCHIVO DE LÉXICO

26

Si recibieras una herencia inesperada, ¿qué cambiarías en tu vida? Contesta las preguntas y haz después la encuesta a varios compañeros de clase. Escribe un texto con las conclusiones.

1. **¿A qué dos lugares te irías a vivir o a descansar?**

....

....

2. **¿Qué dos cosas dejarías?**

....

....

3. **¿Qué otras dos cosas cambiarías en tu vida?**

....

....

....

Todos mis compañeros dejarían

de preocuparse por el dinero,

pero se quedarían a vivir en

esta ciudad. Cambiarían de

casa y de coche, y Peter dice

que dejaría el trabajo...

27

Escoge un tema y prepárate para presentarlo en clase: escribe un párrafo o toma notas. Tu historia puede ser cierta o inventada. Tus compañeros te harán preguntas hasta averiguar si es verdadera o inventada.

1. La última vez que te mudaste de casa

¿Por qué te mudaste? ¿Cómo era la casa anterior? ¿Y la actual?

2. La primera vez que dejaste una relación

¿Cuántos años tenías? ¿Dónde vivías? ¿Qué pasó después?

3. La primera vez que te fuiste a vivir solo/a

¿Qué edad tenías? ¿Cómo era la casa? ¿Cómo cambió tu vida?

4. La última vez que cambiaste de trabajo

¿Cuándo fue? ¿Por qué cambiaste? ¿Fue una buena decisión?

28

¿Qué tipo de pueblo estamos describiendo? Elige un elemento del cuadro para cada descripción.

un pueblo → pequeño › turístico › abandonado
con encanto
de montaña › de pescadores › de la costa
bien/mal conservado
que merece la pena visitar

1. **Un pueblo en el que viven 150 personas es** ....

2. **Un pueblo en el que no vive nadie es** ....

3. **Un pueblo que está a la orilla del mar es** ....

4. **Un pueblo que recomendarías visitar a tus amigos es** ....

....

5. **Un pueblo en el que los edificios, las calles y las plazas se mantienen en buen estado es** ....

29

Ahora describe tú...

1. una ciudad dormitorio:

_____

2. una ciudad de provincias:

_____

3. una ciudad cosmopolita:

_____

4. una ciudad virtual:

_____

5. una ciudad histórica:

_____

Cuenca (Ecuador)

30

¿Sabes qué lugares estamos describiendo?
Elige entre las ciudades y los pueblos
del recuadro.

Los Ángeles	**Barcelona**
Cadaqués	**Benidorm**
Nueva York	**Marsella**

1. Es un antiguo pueblo de pescadores,
ahora muy turístico y muy cosmopolita
en verano. Se encuentra muy cerca
de Alicante, así que está muy bien
comunicado, también por avión. Tiene
rascacielos, muchísimos hoteles y dos
playas enormes.

_____

2. Es una gran ciudad de la costa este
norteamericana, probablemente la
ciudad mas cosmopolita del mundo
y también una de las más turísticas.
Realmente merece la pena visitarla.

_____

3. Es un pueblecito de pescadores muy
bien conservado y con mucho encanto,
seguramente porque no está muy bien
comunicado y solo se puede llegar por
una carretera con muchas curvas. Está
en el noreste de España, muy cerca de
Francia, y en verano se llena de turistas
que quieren visitar la casa de Dalí.

_____

31

Describe tres pueblos o ciudades usando las
palabras que has aprendido en la unidad.
En clase, lee los textos a tus compañeros.
¿Saben qué lugares estás describiendo?

VÍDEO

 campus.difusion.com

32

Vuelve a ver el vídeo sobre la Huerta de Tetuán y toma nota de las ideas principales para completar estos tres testimonios. Luego compara tus notas con las de dos compañeros y completa con la información que te faltaba.

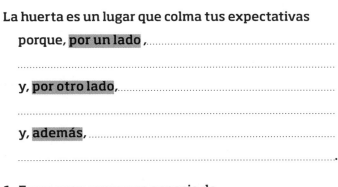

La huerta es un lugar que colma tus expectativas

porque, **por un lado** ,..

....

y, **por otro lado**,..

....

y, **además**,..

....

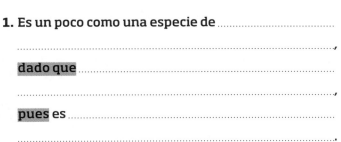

1. Es un poco como una especie de ....

....,

dado que ....

....,

pues es ....

....

Yo creo que el fenómeno "huerto urbano" no ....

....,

sino ....,

es decir,..

....

aparte de ....,

hace que ....

También es un lugar ....

Y creo que es más ....

que ....

33

¿Comprendes el significado de las palabras resaltadas en la actividad 32? ¿Existen equivalentes en tu lengua?

34

Según tu opinión, ¿cuál es el valor más importante que fomenta este proyecto? Habla con tus compañeros.

1. **El consumo sostenible**
2. **La cultura del esfuerzo**
3. **Aprender lo que valen las cosas**
4. **Aprender de dónde vienen las cosas**

¿CIENCIA O FICCIÓN?

01
LOS ROBOTS DEL FUTURO

Entre varios compañeros, discutid las propuestas para la actividad A del Libro del alumno (pág. 89) y haced juntos una lista única de objetos que pueden ser robots.

—Para mí, una lavadora es un robot.
—Pues yo no creo que una lavadora sea un robot, porque no se adapta al entorno.
—La de mi casa sí, porque tiene un programa especial para cada tipo de ropa.

Lee estas opiniones sobre los robots. Luego completa las frases con tus opiniones.

> **Los robots estarán integrados en la sociedad, aunque seguro que habrá gente que los rechazará, igual que hay gente que rechaza los móviles o los ordenadores.**

> **Si trabajan 24 horas y hacen trabajos peligrosos, seguramente quitarán muchos puestos de trabajo.**

> **Ayudarán sin duda en la educación de las personas, no solo de los niños, también de los adultos.**

> **Los robots serán útiles en medicina, pero solo si puedes pagarlo: los más ricos tendrán órganos artificiales o partes del cuerpo mecánicas, pero los demás no.**

> **Serán capaces de hablar, pero no de mantener conversaciones.**

> **Serán los compañeros perfectos: eficientes, fieles... como un perro o un gato, pero más prácticos.**

1. Pues yo no creo que ....

2. Pienso que ....

porque ....

3. Es incuestionable que ....

4. Está claro que ....

5. Es una tontería que ....

6. Creo que ....

3

Lee el siguiente texto. ¿Cuál es tu opinión? Coméntalo con tus compañeros. Podéis usar los recursos del recuadro.

¿Enamorarse de un robot?

El caso más llamativo de la nueva revolución tecnológica es el de los robots sociales, máquinas provistas de inteligencia artificial con las que podremos compartir emociones. Antonio López Peláez afirma que en los próximos años se desarrollarán robots con avanzadas capacidades táctiles y figura con forma humana que permitirán una mayor relación hombre-máquina; será entonces probable que el ser humano deje de ocupar un lugar preferente en las relaciones, ya que el robot puede llegar a ser mejor pareja que un humano.

"El robot puede ser un compañero más eficaz y mejor persona que las que tenemos en nuestro entorno inmediato: al igual que hoy se ven a dueños hablando a sus perros dentro de poco hablaremos a los robots", dice López Peláez.

Otros expertos no opinan de la misma manera: "Me parece una locura pensar que seres humanos se vayan a enamorar de robots", afirma la socióloga estadounidense Yvonne K. Fulbright.

- A mí, eso de que...
- Según esa opinión, ...
- Sí, seguro que...
- Por supuesto que...
- Sería genial/horroroso...
- Me parece interesante/peligroso/falso...
- Me da miedo / me preocupa...
- Yo no creo que...
- Eso es una tontería, ...
- Bueno, en realidad, ...

—Yo creo que sería horrible ver que una amiga tuya está enamorada de un robot, ¿no?
—Bueno, pero tal vez ella sería más feliz porque...

4

Escucha otra vez la descripción de Qbo y completa la transcripción.

— Buenos días, Rodrigo. ¿Qué noticia nos traes hoy?

— Pues mira, hoy os traigo una noticia de robots.

— ¿De robots? ¡Anda! Venga, pues cuéntanos.

— Mira, ayer estuve en la presentación de un robot que se llama Qbo. Lo presentaron en la Universidad de Valencia, en el Instituto de Robótica. Y .... pequeño robot para el hogar.

— ¿Para el hogar?

— Sí, ... una mascota.

— Una mascota que te friega los platos...

— No, de momento no llega a tanto. .... un gato, un perro... Una mascota, un animal de compañía.

— ¡Ah, qué curioso! Oye, ¿y cómo es?, ¿............................ al ser humano?

— No, en realidad .... un huevo gigante, de unos cincuenta centímetros de altura. ¿............................ robot bajito de *La guerra de las galaxias*?

— ¡Ah, sí, sí!

— Pues .... bastante.

— Ah, qué mono...

Completa las frases con las formas del futuro y señala después si estas ideas aparecen en el texto de las páginas 88 y 89 del Libro del alumno.

1. Los robots (ser).. **tan capaces de razonar como los humanos.**

2. En 2030 los robots (poder).. **opinar y dar consejos a los humanos.**

3. (Haber)................................. **robots que** (hacer)................................... **trabajos muy**

peligrosos para el ser humano.

4. En las casas (ayudar)............................... **en casi todo: limpiar, cocinar, educar a los niños...**

5. Algunos robots (tener)................................. **sentimientos y** (ser)..................................

capaces de querer a las personas.

6. En el futuro (ser)...................................... **posible tener una pierna o un corazón mecánicos.**

Busca en los textos de las páginas 88 y 89 del Libro del alumno un verbo regular en futuro de cada conjugación, escríbelo en la columna correspondiente y completa las formas que faltan.

Regulares	-ar	-er	-ir
yo			
tú			
él/ella/usted			
nosotros/nosotras			
vosotros/vosotras			
ellos/ellas/ustedes	*dejarán*		

Busca en los mismos textos verbos con formas irregulares en futuro y escribe el infinitivo correspondiente. ¿Puedes deducir las formas del futuro para todas las personas?

Irregulares	Infinitivos	Irregulares	Infinitivos

Haz una lista con diez verbos: cinco regulares en futuro y otros cinco, irregulares. Escribe también una persona para cada uno (**yo**, **ustedes**, etc.) Después, lee tu lista a un compañero. Él tiene que decirte la forma correcta del futuro y una frase con esa forma.

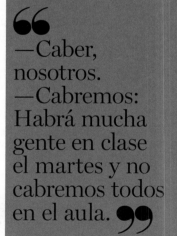

—Caber, nosotros.
—Cabremos: Habrá mucha gente en clase el martes y no cabremos todos en el aula.

9

Escribe predicciones sobre el futuro de varios compañeros de clase (tres sobre cada uno). Lee tus frases en clase sin mencionar los nombres. ¿Saben tus compañeros de quién hablas?

—*En poco tiempo*...
—*Muy pronto*...
—*Algún día*...
—*Dentro de unos años*...
—*En el futuro*...
—*Antes de cumplir x años*...
—*Nunca*...

> 66
> —Seguro que dentro de unos años será un actor famoso, se casará con una modelo y tendrá varios hijos. —¿Es Paul?
> 99

10

¿A qué objeto crees que se refiere cada una de estas descripciones?

1. Es algo así como un cilindro con lentes que sirve para ver objetos lejanos. Se puede usar para aprender sobre las estrellas, para espiar... Los más grandes son capaces de acercar los objetos millones de veces.

Me parece que es

....

2. Es una especie de ordenador pequeño. Es rectangular y tiene una pantalla. Puede hablar distintos idiomas y es capaz de calcular diferentes formas de llegar a un lugar en muy poco tiempo. Normalmente está en los coches, en los camiones...

Supongo que es

....

3. Se parece a una guitarra, pero solo tiene cuatro cuerdas y su sonido es más grave. Puede ser acústico o funcionar con electricidad. Normalmente sirve para acompañar a otros instrumentos, pero se puede usar también como instrumento principal en una canción.

Debe de ser

....

11

Describe cinco objetos que tienes en tu casa. Puedes usar estos recursos.

- Es algo así como un/a...
- Es una especie de...
- Se parece a...
- Parece un/a...
- Se puede usar para/como...
- Sirve para...
- Es capaz de...
- Sabe...
- Puede...
- Es de...
- Está hecho de...
- Es cuadrado/redondo...

1. ....
2. ....
3. ....
4. ....
5. ....

12

En clase, lee tus descripciones a un compañero. ¿Sabe qué estás describiendo? Podéis usar los siguientes recursos.

—*Yo me imagino que es*...
—*Yo supongo que es*...
—*A mí me parece que es*...
—*Debe de ser*...

02
EL FUTURO SEGÚN LA CIENCIA FICCIÓN

13

Antes de leer el texto de las páginas 92 y 93 del Libro del alumno, haz una lista de predicciones sobre el futuro que has visto en películas, series de televisión o que has leído en libros. Trabaja después con un compañero y haced una lista conjunta.

—Según las novelas de H.G. Wells será posible hacer viajes al pasado con una máquina del tiempo.
—Pues en la novela *Un mundo feliz* de Huxley, todo el mundo será aparentemente igual y el Gobierno lo controlará todo... **99**

14

Lee la introducción de "El futuro según la ciencia ficción" y completa esta tabla con la información del texto.

Autor	Predicción hecha realidad	Cuándo la hizo
Julio Verne		
	Videoconferencia entre la Tierra y el espacio.	
		En los años 80.

15

¿Has visto alguna de las películas o has leído alguna de las novelas que aparecen en la página 92 del Libro del alumno? Escoge una y escribe un breve resumen sobre ella para presentarlo en clase. Puedes tener en cuenta los siguientes puntos.

- **De qué trata.**
- **Quiénes son los protagonistas.**
- **Dónde y cuándo transcurre la acción.**
- **Qué predicciones sobre el futuro aparecen.**

16 **34**

Completa los espacios en blanco con los elementos del recuadro. Después, comprueba con la audición que lo has hecho bien.

- **crees tú**
- **sí... No sé, yo**
- **bueno, sí, pero**
- **yo creo que**

- **claro**
- **cómo crees que será**
- **supongo que sí, es posible**
- **pero también**

— ¿Tú te has dado cuenta de que cada vez tenemos menos libros y menos discos en casa?

— .... también hay gente que todavía los quiere tener, por esto de que tener un libro de papel siempre te da más que tenerlo solamente en apartado digital.

— ...., despúes de la última mudanza, tuve ganas de tirar todos los libros y tenerlos todos en formato electrónico.

— .... te sirven para decoración en casa, por ejemplo.

— Sí, hombre, para decoración ya tengo otras cosas. .... dentro de poco no vamos a tener ni un solo libro ni un solo disco en casa.

— ¿Y ....? ¿Qué tendremos entonces?

— Pues... estará todo en internet... Estará en la nube... Solo tendrás esos pocos objetos que te parecen superentrañables o que tienen un valor sentimental, pero... pero tener cientos de libros o cientos de discos, no sé, es una pérdida de espacio.

— Será algo de coleccionista, ¿ ....?

— ...., solo esas cosas que te parecen superespeciales y que quieres guardar porque, bueno, pues porque tienen un valor especial, ¿no?

— Bueno, ...

17

Escoge una las siguientes situaciones hipotéticas y contesta las preguntas. Luego coméntalo con tus compañeros.

1. Un mes en una isla desierta.
2. Seis meses en una estación espacial.
3. Un año en bici por el mundo.
4. Dos semanas escalando una montaña de 8 000 m.

¿Con quién irías?

....
....

¿Qué harías?

....
....

¿Qué no te gustaría hacer?

....
....

¿Qué te daría miedo?

....
....

¿Qué comerías?

....
....

¿Qué crees que te pondría nervioso?

....
....

¿Cómo te prepararías?

....
....

18

¿Con qué personas famosas harías estas cosas? ¿Con cuáles nunca
las harías? ¿Por qué? Coméntalo con tus compañeros.

	Con quién sí	Con quién nunca
Salir a cenar		
Hacer negocios		
Tener una larga conversación		
Hacer un largo viaje en coche		
Compartir confidencias		
Fundar una familia y tener hijos		
Compartir casa durante una temporada		

> "
> Yo haría
> negocios con
> Bill Gates,
> porque ha
> ganado
> mucho
> dinero, pero
> también ha
> invertido en
> cooperación.
> "

19

Algunos políticos han dicho estas frases sobre la salud y la educación.
Léelas y escribe si estás de acuerdo con ellas y por qué.

	Mi opinión
Si damos un ordenador a cada alumno en la escuela, nuestros hijos aprenderán mucho más y mejor.	
Si fomentamos ahora que los jóvenes aprendan idiomas, seguro que encontrarán mejores trabajos en el futuro.	
Si la velocidad máxima de las autopistas se reduce a 100 km/h, muy probablemente habrá menos accidentes.	
Si se prohíbe fumar en la calle, descenderá el número de fumadores.	
Si el baile, el teatro y la música son asignaturas obligatorias en las escuelas, tendremos una sociedad mucho más creativa y seguramente más feliz.	

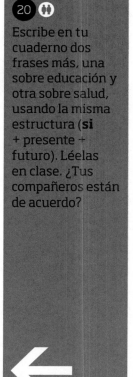

20

Escribe en tu
cuaderno dos
frases más, una
sobre educación y
otra sobre salud,
usando la misma
estructura (**si**
+ presente +
futuro). Léelas
en clase. ¿Tus
compañeros están
de acuerdo?

21

Completa estas frases con tu opinión o información sobre ti mismo.

1. Si .... ,

seguramente seré muy generoso con las personas

que quiero.

2. Si alguna vez puedo tener un año entero de

vacaciones, ...

....

3. Si .... ,

lo contaré en un libro.

4. Si me proponen actuar en una obra de teatro, ...

....

....

5. Si .... ,

lo ayudaré a hacer los deberes de español.

22

Elige uno de estos temas y escribe tus predicciones sobre cómo serán dentro de 100 años.

los viajes
la educación
los medios de comunicación
el trabajo o las vacaciones

1. Seguramente ....

....

2. A lo mejor ....

....

3. Quizás ....

....

4. Probablemente ....

....

....

23

Unos amigos hablan sobre un viaje que van a hacer. Relaciona la primera parte de cada frase con su continuación correcta. En algún caso puede haber dos posibles.

1. Creo que no   **a.** lleguemos antes de las 6.
2. No creo que   **b.** llegaremos antes de las 6.
_____   _____

3. No pienso que   **a.** hará mal tiempo, ni frío.
4. Pienso que no   **b.** vaya a hacer mal tiempo.
_____   _____

5. No creo que   **a.** tendremos ningún problema en el hotel.
6. Pienso que no   **b.** tengamos ningún problema en el hotel.
_____   _____

7. A lo mejor   **a.** necesitamos contratar a un guía.
8. Probablemente   **b.** necesitemos contratar a un guía.
_____   _____

9. Seguramente   **a.** vayamos al aeropuerto en autobús.
10. Quizás   **b.** iremos al aeropuerto en autobús.
_____   _____

Termina estas frases.

1. Muchas películas y algunos científicos aseguran que hay vida en otros planetas. A lo mejor ....
....

2. Una aspiración posible es poder tener wifi gratuita en todas partes, en todo el mundo. Yo no creo que ....
....

3. Hay experimentos que demuestran que podríamos enseñar a los chimpancés a comunicarse con los humanos. Probablemente ....

4. En pocos años habrá traductores automáticos de bolsillo muy avanzados para cualquier lengua. Quizás ....
....

Escucha cómo debaten tres amigos sobre los viajes organizados y anota en tu cuaderno las diferentes opiniones que expresan. En clase, compara tus notas con un compañero. ¿Con qué opinión estáis más de acuerdo?

Vuelve a escuchar y marca cuáles de estas formas para introducir opinión aparecen.
¿Puedes traducirlas a tu lengua?

		En mi lengua
1. Yo creo que...	☐	
2. Yo no creo que...	☐	
3. Pienso que...	☐	
4. Puede ser, quizá sí, pero...	☐	
5. A lo mejor...	☐	
6. Depende de...	☐	
7. Sí, seguro, porque...	☐	
8. Sí, claro, pero...	☐	
9. Te aseguro que...	☐	
10. ¿Tú crees? A mí me parece que...	☐	

27

En grupos. Por turnos, cada uno tiene que opinar sobre una frase, pero, ¡atención!, tendrá que utilizar el recurso que le toque al tirar el dado.

1. **A veces una mascota es mejor compañía que algunas personas.**
2. **Nunca hay mal tiempo, sino ropa inadecuada.**
3. **Lo importante es trabajar para vivir, y no vivir para trabajar.**
4. **La familia es siempre más importante y más estable que los amigos.**
5. **Los mejores viajes son los viajes organizados y en grupo: no te aburres nunca y puedes hacer muchos amigos.**
6. **Las mejores películas que se han hecho son comedias románticas.**
7. **Planchar es una actividad que relaja y ayuda a pensar.**
8. **Los hombres gorditos y con bigote son los más atractivos.**
9. **Si no estás en las redes sociales, no estás en el siglo XXI.**

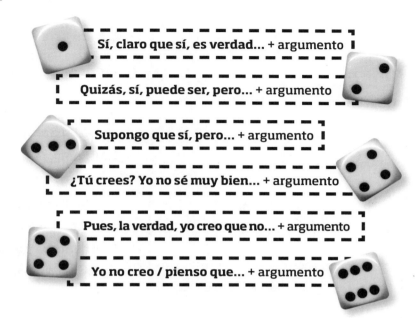

Sí, claro que sí, es verdad... + argumento

Quizás, sí, puede ser, pero... + argumento

Supongo que sí, pero... + argumento

¿Tú crees? Yo no sé muy bien... + argumento

Pues, la verdad, yo creo que no... + argumento

Yo no creo / pienso que... + argumento

28

¿Qué personajes famosos crees que pueden decir estas frases?

1. **Ya no canto, pero hago programas de televisión:**

2. **Me he casado y divorciado varias veces:**

3. **Todavía vivo con el hombre/la mujer de mi vida:**

4. **Soy joven y todavía no he tenido hijos:**

5. **Ya he ganado el Roland Garros varias veces:**

6. **Todavía no he hecho una película con un director español:**

7. **Soy mayor, pero todavía soy atractivo/a:**

8. **No soy muy mayor, pero ya no soy nada atractivo/a:**

29

Escribe tres cosas en cada apartado.

1. Cosas que empezaste a hacer hace tiempo y todavía haces.

2. Cosas que te gustaría hacer, pero todavía no has hecho.

3. Cosas que hacías antes y que ya no haces.

4. Cosas que querías hacer y ya has hecho.

ARCHIVO DE LÉXICO

30

Completa las frases.

> • parece/n
> • se parece/n
> • me parece/n
> • me parece que

1. A mí el verano .... la mejor estación del año.

2. ¿Qué es aquello? .... un helicóptero, ¿no?

3. Italia .... mucho a España en algunas cosas, ¿no crees?

4. .... esta película va a ganar muchos óscars este año. ¡Es fantástica!

5. Mi mujer y su hermana .... mucho, y no solo físicamente, también en el carácter.

6. ¿Quieres saber la verdad? ¡Vestido así, Juanjo .... un payaso!

31

¿Quién se parece a quién en la familia de Laura? Completa con las formas correctas de **parecerse** en cada caso.

1. Yo .... a mi madre, sobre todo en el pelo y en la nariz.

2. Mi hermana .... a mi padre en los ojos y en las manos. También en el carácter.

3. Mi hermano y yo .... mucho: en la cara, en la forma de andar, en gustos...

4. Mi hermano y mi hermana no .... en nada: parecen dos personas de familias diferentes.

5. Mi abuelo siempre me dice: "........................... a mí cuando yo tenía tu edad", pero no lo sé porque no tiene fotos de esa época.

32

¿Y en tu familia? ¿Quién se parece a quién? ¿A quién te pareces tú? ¿En qué? Escribe cinco frases.

1. ....

2. ....

3. ....

4. ....

5. ....

33 🎧

¿Qué crees que son estos objetos? ¿Qué parecen? Escríbelo.
Luego dibuja tú uno y pregúntale a tu compañero.

1. Parece un...

pero yo creo que es un...

2. ....

....

3. ....

....

4. ....

....

5. ....

....

6. ....

....

34

Busca en el cuadro una o dos combinaciones posibles para cada una de estas palabras.

- de limpieza
- por el espacio
- extraterrestre
- naturales
- mundo
- por telepatía
- al pasado
- inteligente
- en robótica
- realidad
- humanos
- por videoconferencia
- de comunicaciones

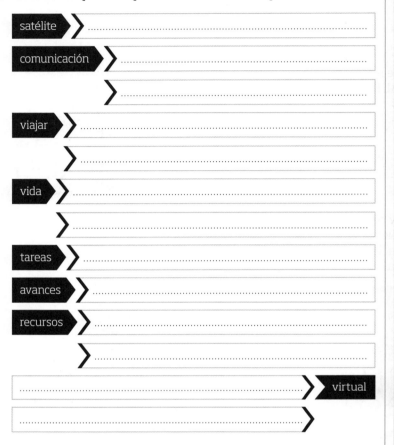

satélite

comunicación

viajar

vida

tareas

avances

recursos

virtual

35

Elige tres de las combinaciones de la actividad anterior y escribe un ejemplo con cada una de ellas. Después, con varios compañeros, haced una lista común de ejemplos.

36

Elige la continuación más lógica para cada frase.

1. No iremos a la playa este verano porque Luisa se ha roto un brazo y ...
2. Carlos irá a clases de natación pronto porque ...

a. no puede nadar.
b. no sabe nadar.

3. Lo siento, no podemos ir en coche, he olvidado las gafas en casa y ...
4. Mi madre me lleva siempre al trabajo en su coche, yo todavía ...

a. no sé conducir, no tengo carné.
b. no puedo conducir.

5. Sí, claro, esta tarde no tengo nada que hacer, así que ...
6. Fui seis años a una academia de dibujo y ...

a. puedo ayudarte a pintar el comedor, si necesitas ayuda.
b. sé bastante de pintura.

campus.difusion.com

VÍDEO

37

¿Recuerdas el vídeo de la unidad? ¿A qué se dedica la compañía PAL ROBOTICS?

....

....

38

Vuelve a ver el vídeo y contesta estas preguntas. Comenta luego con tus compañeros las afirmaciones que hace Alexandre Sales.

1. ¿ Los robots sustituirán a los seres humanos en el trabajo?

....

2. ¿Qué cosas no podrá hacer nunca un robot?

....

3. ¿Los robots podrán tener emociones?

....

4. ¿Por qué los robots de PAL ROBOTICS no tienen una apariencia más humana?

....

5. ¿Cómo será la robótica dentro de 10 o 15 años ?

....

....

39

Vuelve a ver el vídeo a partir del minuto 02:39 y completa la ficha con los datos de REEM.

1. ¿Qué es?

....

....

2. ¿Para qué sirve?

....

....

....

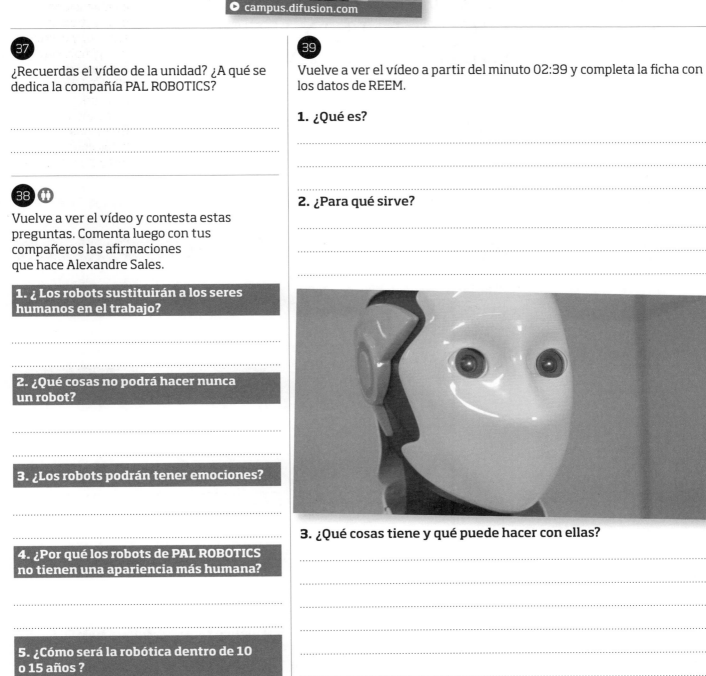

3. ¿Qué cosas tiene y qué puede hacer con ellas?

....

....

....

....

....

INSUFICIENTE, NOTABLE Y SOBRESALIENTE

01
DIARIO DE UN MAESTRO

1

¿Qué día se refiere el maestro a estos temas en el diario de las páginas 100 y 101 del Libro del alumno?

Tema	Fecha
Asignaturas	15 de septiembre
Los deberes y los padres de los alumnos	
Profesores del pasado	
Notas	
Un alumno diferente	
Vacaciones	
Nuevas tecnologías	
Excursiones y asignaturas favoritas	

2

Traduce a tu lengua estas afirmaciones de la entrada del 10 de enero.

1. La maestra solía pegarles con la regla.

....

....

....

2. ¡Cuánto hemos avanzado!

....

....

....

3. Cada vez me llevo mejor con esta clase.

....

....

....

....

4. Algunos me piden que les dé consejo.

....

....

....

....

3

Busca a un compañero que tenga tu misma lengua materna. Escoge dos entradas del diario y, en ellas, cuatro frases con palabras que quieres recordar. Él debe escoger otras. Traduce las frases a tu lengua e intercambia las traducciones con tu compañero. Sin mirar el libro, volved a traducir las frases al español. ¿Hay muchas diferencias con las originales?

4

Completa estas frases que aparecen en el texto. ¿Cómo traducirías a tu lengua las expresiones que faltan? Utilízalas para escribir frases sobre ti o sobre tu entorno.

	En mi lengua
1. Hoy he puesto las notas de la primera evaluación... Realmente	**1.** ....
2. La verdad es que es un alumno .... Y para el dibujo	**2.** .... **3.** ....

5 ◀)) 36

Escucha a Rosana hablando de su educación. Señala cuáles de estas palabras aparecen.

educación › infantil › primaria › secundaria › universitaria
› pública › privada › concertada
colegio escuela › público/a › privado/a › concertado/a
› laico/a › religioso/a
› mixto/a › de chicos › de chicas
instituto › de secundaria
universidad › pública › privada

6

Escribe en tu cuaderno un texto sobre tu educación utilizando el léxico del esquema. Intercambia tu texto con el de un compañero. ¿Coincidís en algo?

7

Escribe la primera persona del presente de subjuntivo.

llegar	respetar
....	....

conocer	mandar
....	....

dar	cuestionar
....	....

8

Busca las formas anteriores en las entradas del diario de los días 14 de diciembre, 10 de enero y 4 de abril, y copia las frases en las que aparecen.

Tengo ganas de que lleguen las vacaciones de Navidad.

9

Estos padres y madres en el parque, ¿les dicen o les piden estas cosas a sus hijos? Reescribe cada frase usando los recursos del recuadro.

- Le pide a su hijo que...
- Le dice a su hijo que...

1. ¡Te vas a manchar si sigues jugando con la arena!

....

....

2. Adrián, este niño quiere jugar con vosotros.

....

....

3. Amaya, ve al bar y pídele al camarero un vaso de agua.

....

....

....

4. Acompaña a tu hermano al baño, Aurelio.

....

....

5. El bocadillo está en la mochila azul.

....

....

6. Coge el balón y ve a jugar con tus amigos.

....

....

....

10

Dos profesores hablan en la sala de profesores de un instituto. ¿Qué le dice/pregunta/pide uno al otro?

1. ¿Cuándo vas a poner el examen?

Le pregunta cuándo...

....

2. Gonzalo Rodríguez ha suspendido.

....

3. ¿Tenemos hoy reunión?

....

4. Mira el nuevo libro de Inglés y dame tu opinión.

....

5. Me voy a casa. ¿Te vienes?

....

....

12

Piensa dos situaciones en las que puedes necesitar ayuda y en qué necesitas que hagan tus compañeros. Ellos tienen que adivinar exactamente lo que quieres sin que les des ninguna información.

1.

Problema ....

Favor ....

2.

Problema ....

Favor ....

—A ver... ¿necesitas que te compremos algo?
—No.
—Pues entonces, ¿quieres que te digamos algo?
—Sí...

11

¿Recuerdas cosas que te han dicho o te han pedido esta semana?

Un compañero de trabajo me ha dicho que se va a casar en verano.

Problema: quiero cambiarme de gimnasio.
Necesito que alguien me diga el nombre de un gimnasio no muy caro.

13

¿Recuerdas estas cosas de tu infancia? Relaciona cada frase con un elemento del recuadro y añade información cuando sea posible.

> - **Recuerdo muy bien...**
> - **No me acuerdo casi nada de...**
> - **He olvidado completamente...**

1. ... la primera vez que fui al cine.
2. ... la primera vez que fui solo al colegio.
3. ... mi primer viaje en avión.
4. ... mi primer día en el instituto.
5. ... mi primera visita al dentista.
6. ... el día que aprendí a montar en bicicleta.
7. ... (a) mi primer amor.

Recuerdo el primer día que fui al cine: mi padre me llevó a ver una de vaqueros y me encantó.

14

Escribe en tu cuaderno tres cosas más de las que recuerdas cómo fue la primera vez. Puede ser el primer día de trabajo, la primera vez que te bañaste en el mar, etc.

15 37-39

Escucha a tres personas hablando de sus primeros recuerdos. ¿Qué recuerdan? Escríbelo.

1. ....

....

2. ....

....

3. ....

....

16

Lee este texto sobre los primeros recuerdos. ¿Coincide con tu experiencia? ¿Recuerdas cosas de tus primeros cuatro años? Habla con tus compañeros.

LOS PRIMEROS RECUERDOS

La mayoría de las personas no es capaz de recordar hechos que ocurrieron cuando eran muy pequeños. Se trata de algo muy normal y que los científicos denominan "amnesia infantil": alrededor de los cuatro años se borran los recuerdos de los primeros años de vida y empiezan a ser sustituidos por otros.

Un estudio realizado en Canadá demuestra que los niños de 4 años sí son capaces de recordar muchas anécdotas de su vida desde los 18 meses, pero dos años después las han olvidado completamente. En este sentido, la doctora Carole Peterson afirma que "nuestra 'infancia psicológica' comienza mucho más tarde que nuestra infancia real".

Por esta razón, los primeros recuerdos de un adulto se sitúan alrededor de los 4 años, y muy pocas veces antes. Un estudio reciente sugiere que esto puede deberse a que los recuerdos de los primeros años se almacenan en nuestro cerebro de forma distinta.

17

Cristina ha escrito sobre sus habilidades en su perfil de una red social. Compáralas con las tuyas utilizando **yo también**, **yo tampoco**, **a mí también** y **a mí tampoco**, y explica por qué.

> Soy muy buena escribiendo en el ordenador: escribo con todos los dedos y sin mirar el teclado. También soy bastante buena para la música: canto en un coro y toco un poco el piano. Sin embargo, se me dan bastante mal los idiomas: solo sé algunas palabras en inglés, pero no entiendo nada. Se me da muy bien el deporte en general: corro por las mañanas y juego al tenis los fines de semana. De pequeña era un desastre para las Matemáticas en el colegio... Y ahora también: siempre uso la calculadora del teléfono. No se me da nada mal arreglar cosas en casa, soy muy manitas: arreglo enchufes, grifos...

18

Vamos a hacer la lista de las habilidades de los alumnos de nuestra clase. En grupos, completad esta ficha con datos de todos los miembros. Un miembro del grupo lee la lista a toda la clase. ¿Cuántas habilidades diferentes tenemos entre todos?

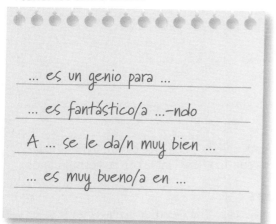

... es un genio para ...

... es fantástico/a ...-ndo

A ... se le da/n muy bien ...

... es muy bueno/a en ...

19

Piensa en gente que conoces y en ti mismo y, a continuación, describe sus habilidades y las tuyas usando los recursos del recuadro.

Yo Mi hermana Un amigo mío	soy es	un genio (muy) bueno/a (muy) malo/a un desastre	+ gerundio (bailando) + en (en Historia) + para (el baile)

En cálculo soy muy malo. Soy un desastre haciendo sudokus, por ejemplo.

20

Contesta las preguntas sobre la escuela a la que ibas cuando eras pequeño.

¿Qué asignaturas recuerdas de tu escuela?

¿Había notas? ¿Cómo eran?
¿Tú sacabas buenas notas o malas?

¿Cómo eran tus profesores, tradicionales o modernos?

¿Qué tipo de alumno eras? ¿Cómo te portabas en clase?

¿Tenías que hacer muchos deberes?

¿Cuáles eran tus asignaturas preferidas? ¿Odiabas alguna?

¿Tenías muchas vacaciones en verano?
¿Y en otros periodos del año?

En mi colegio pintábamos mucho. Me encantaba.

02
GRANDES CAMBIOS EN LA VIDA

 21

¿Cómo expresarías con tus palabras estas frases que aparecen en la entrevista a María García Zambrano?

1. Enfoqué mi carrera profesional hacia ese ámbito.

....

2. En ese cambio de rumbo fue fundamental tu profesora.

....

3. Esta profesora de literatura le abrió la puerta a la poesía.

....

4. Y yo me tiré a la piscina.

....

5. ¿Qué les dices a chavales que no han descubierto su vocación?

....

6. Les aconsejo que vayan a lo máximo.

....

 22

Escribe un breve texto biográfico sobre María García Zambrano a partir de la información que se da sobre ella en la entrevista.

María García Zambrano

es profesora de Lengua

castellana y literatura...

 23

Completa estos fragmentos de la entrevista a María García Zambrano con los recursos conversacionales del recuadro y comprueba luego. ¿Qué expresiones usarías en tu lengua en cada caso?

- **Pues**
- **Es más**
- **Y es que**
- **Es decir**
- **O sea**
- **Bueno**
- **De hecho**
- **En fin**

— ¿Y hace mucho que eres profesora?

— .... soy profesora desde 2008, cuando aprobé la oposición. ...., que llevo en la educación pública nueve años. (...)

— Pero antes de ser profesora, ¿qué hacías?

— Pues mira, yo no he sido siempre profesora. ...., mi formación es en periodismo. Pero cuando terminé la carrera, estuve un tiempo trabajando en el campo de la fotografía (...) porque me gustaba mucho la fotografía, o sea, que enfoqué mi carrera profesional hacia ese ámbito. (...)

— ¿Y por qué decidiste cambiar si eran años buenos y te gustaba tanto?

— Porque, ..., mi gran pasión es la literatura, y un verano estaba ordenando los apuntes de Bachillerato, ..., leyendo esos apuntes y trabajos (...) y vi comentarios de texto que había escrito. (...)

— ...., que en ese cambio de rumbo fue fundamental tu profesora, una profesora que te marcó...

— Sí, sin duda. ...., ella ha sido luego una persona fundamental en mi vida. ...., todavía seguimos en contacto después de muchísimos años. ...., parece un tópico, pero los profesores te pueden cambiar la vida (...) ...., que en mi caso no es un tópico. (...)

— Qué maravilla. ...., que descubriste tu vocación gracias a ella, ¿no?

— Sí, sí, sí. (...). Dejé un trabajo indefinido para aventurarme. No sabía qué iba a pasar (...). ...., todo salió bien y ahora soy feliz. Soy muy feliz.

24

Relaciona cada frase de la columna de la izquierda con su continuación más adecuada.

1. Ahora trabajo muchas menos horas que antes y gano menos dinero.

2. Soy miembro de una ONG desde el año pasado.

3. ¿Por qué empezaste a trabajar de animador cultural?

4. Sí, vendí mi piso de la ciudad, mi coche, mi moto y me fui al pueblo. Fue una buena decisión.

5. Es fundamental hablar con los hijos sobre sus estudios,

6. Y ahora te dedicas a la enseñanza de... ¿escritura?

a. Pues mira... un día me cansé de estar en la tienda y decidí hacer un trabajo más creativo.

b. En fin, que no me arrepiento de ello.

c. Pero, bueno, tengo más tiempo para estar con mis hijos.

d. es decir, sobre lo que les gusta estudiar, cómo les va en la escuela, ya sabes...

e. Sí, de guiones de cine

f. O sea, que dedico parte de mi tiempo a ayudar a otras personas.

 25

Completa estos diálogos de manera lógica.

1. Hace mucho que no te veo, ¿ya no vives aquí?

- Sí, me cansé de vivir en el campo. Así que ....
....

2. Tú tienes un trabajo bastante original, ¿no?

- Sí, trabajo en un circo. Lo importante es trabajar en lo que te gusta, es decir, ...
....

3. ¡Qué buen aspecto tienes!

- Es que he empezado a ir al gimnasio todos los días. La verdad es que ....
....

4. ¿Y estás contento en tu nuevo trabajo?

- Ahora trabajo más que antes. Pero, bueno, ...
....

 26

Relaciona el principio de cada frase con su final más probable.

1. Gloria y Ramón estaban viviendo en París
2. Gloria y Ramón estuvieron viviendo en París

a. siete años, desde 1966 hasta 1973.
b. cuando estalló el Mayo del 68.

3. Carmela estaba saliendo con Marcos,
4. Carmela estuvo saliendo con Marcos

a. mucho tiempo, hasta que se fue a Madrid.
b. pero en realidad le gustaba Alberto.

5. Guille y yo estuvimos buscando trabajo
6. Guille y yo estábamos buscando trabajo

a. cuando se murió el abuelo y nos dejó su fortuna.
b. hasta que por fin nos contrataron en Zara.

7. Entonces, ¿estabais comiendo en el restaurante
8. Entonces, ¿estuvisteis comiendo en el restaurante

a. en el momento que dieron la noticia?
b. hasta las 7 de la tarde? ¿5 horas comiendo?

9. Agustín estaba escribiendo un libro de recetas de cocina,
10. Agustín estuvo escribiendo un libro de recetas de cocina

a. pero se aburrió, lo dejó a la mitad y nunca lo terminó.
b. el año pasado durante varios meses.

27

Piensa en cinco cosas que has hecho esta semana durante un periodo de tiempo determinado (toda una mañana, durante cuatro horas, toda la tarde, desde las 2 hasta las 6...) y escríbelas con **estuve** + gerundio.

> El lunes estuve hablando por teléfono con mi madre más de 45 minutos.

28

Las vidas de estas personas cambiaron en un momento determinado. Con un compañero, escoge dos de ellas, invéntate una historia y escríbela en tu cuaderno. Tienes que usar la información que hay debajo de cada imagen.

Vivíamos en un barrio a las afueras.
Estábamos estudiando italiano.
Conocimos a una persona muy curiosa.

Había estudiado en Harvard.
Estaba viviendo con mi mujer y nuestros dos hijos.
Fui de viaje a Brasil.

Trabajaba 12 horas al día.
Había hecho un viaje a la Polinesia.
Hablé con una buena amiga.

Estábamos trabajando en una empresa.
Ganábamos bastante dinero.
La empresa quebró.

Esta es la transcripción de una entrevista a una persona que cuenta un momento que cambió su vida. Escribe los números de las frases que faltan en el lugar correspondiente. Escucha después la entrevista para comprobar que lo has hecho bien.

1. ya **había dado** clases antes
2. porque me **dieron** una beca
3. **tuve** mucha libertad para organizar muchísimas cosas
4. **tenía** poca experiencia
5. **hice** a la India

— Y... oye, Nuria, ¿así un momento que digas: "A partir de ahí cambió mi vida totalmente"?

— Hombre, así... "cambió mi vida", no sé, pero sí que ha habido muchos, muchos momentos muy especiales en los que he aprendido muchísimo y... si tuviera que elegir uno de ellos, quizás diría un viaje que (.............).

— ¿A la India?

— Sí, sí, a la India. Estuve tres meses en la India (.............), el último año de mi carrera, y... y fui a dar clases de español en la Universidad de Nueva Delhi.

— ¡Guau!

— Y... y la verdad es que me encantó, me encantó todo, desde... es que la India es un país tan diferente, tan... con animales por la calle...

— ¡Sí!

— Bueno, esa es la primera impresión que tienes cuando sales. Y... y después me, me encantó, me encantó dar clases allí. Tenía... La verdad es que en ese momento (.............), pero las condiciones eran ideales: tenía alumnos majísimos y además (.............); desde una representación de Don Juan Tenorio...

— Teatro...

— ... con los alumnos, hice un casting, y entonces allí, allí quizás, aunque (.............), allí quizás fue cuando me planteé por primera vez que, que era algo que me gustaba mucho.

30

Fíjate en cómo en la lengua oral repetimos palabras y secuencias de palabras muy a menudo. Lo hacemos normalmente para tener más tiempo para pensar la continuación de la frase o para reformular algo y añadir información. Busca y subraya en la transcripción anterior tres ejemplos de palabras o secuencias que se repiten.

31

¿Existe en tu lengua este mecanismo para ganar tiempo y para poder reformular?

32

Hay muchas palabras y recursos que normalmente solo usamos en la lengua oral. Busca los recursos del recuadro en la transcripción y subráyalos. Luego intenta traducirlos a tu idioma.

bueno   hombre
oye   no sé

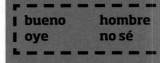

ARCHIVO DE LÉXICO

 33

¿Qué significa **clase** en las siguientes frases?

1. No me gusta hablar de esa clase de cosas con desconocidos.
2. En mi clase hay carteles de España colgados en las paredes.
3. ¿Qué habéis hecho hoy en clase de Historia?
4. Hoy hemos ido toda la clase a visitar la catedral.
5. Este año, la clase de Francés es mi favorita. Aprendemos mucho.
6. Aún no sé qué clase de persona es Marta.
7. No voy a poder ir a las últimas dos clases de español.

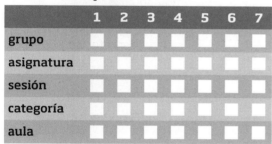

	1	2	3	4	5	6	7
grupo	□	□	□	□	□	□	□
asignatura	□	□	□	□	□	□	□
sesión	□	□	□	□	□	□	□
categoría	□	□	□	□	□	□	□
aula	□	□	□	□	□	□	□

 34

Completa un árbol como este en tu cuaderno.

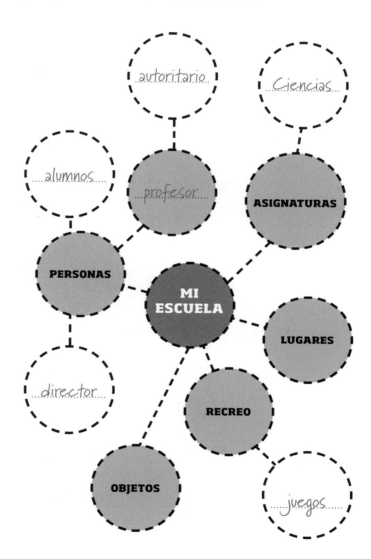

35

Completa con el adjetivo que falta en cada definición.

1. Un profesor con ganas de trabajar y probar cosas nuevas es un profesor m.............................

2. Una escuela no adscrita a ninguna religión es una escuela l.............................

3. Un colegio en el que estudian chicas y chicos es un colegio m.............................

4. La educación de 0 a 6 años se llama Educación i.............................

5. Una escuela que es en parte pública y en parte privada es una escuela c.............................

36

¿Quién hace estas cosas? ¿El profesor o el estudiante?

	profesor	estudiante
Va a clase de italiano.	☐	☐
Da clase de italiano.	☐	☐
Hace exámenes de final de curso.	☐	☐
Corrige exámenes al final del curso.	☐	☐
Lo aprueba todo.	☐	☐
Aprueba a todos.	☐	☐
Pone las notas de los exámenes.	☐	☐
Saca buenas notas en los exámenes.	☐	☐

37

En grupos, jugamos a adivinar palabras dibujándolas. No se puede hablar ni escribir.

“
—¿Es un libro?
—No.
—Mmm, ¿un cuaderno de notas?
—¡Sí, un bloc! ”

VÍDEO

 campus.difusion.com

 38

¿Recuerdas el vídeo de la unidad sobre un colegio público de España? ¿Se parece al colegio donde estudiabais de pequeños? ¿Por qué? Coméntalo con tus compañeros.

> ❝ En mi colegio también teníamos proyectos muy creativos. Por ejemplo, recuerdo uno que... ❞

39

Vuelve a ver el vídeo a partir del minuto 02:45 y responde las preguntas sobre las dos actividades que se presentan.

1. ¿En qué consiste la actividad "Un proyecto de alimentación sana, aprendizaje y creatividad"? ¿Qué hace el niño y con qué frutas?

2. ¿Qué aprenden los niños en la actividad de Ciencias Sociales?

3. ¿Qué te parecen estas dos actividades? ¿Por qué?

4. ¿Crees que son una manera creativa de aprender?

 40

En el minuto 02:07, el niño se refiere a un juego, el "stop". Vuelve a ver el vídeo y anota cómo se juega. ¿Recuerdas qué otro nombre recibe este juego?

SEGUNDO DERECHA

01
LA VUELTA AL MUNDO EN 80 SOFÁS

Vuelve a leer el texto sobre *couchsurfing* y busca palabras que significan lo siguiente.

1. Persona que invita a otra a su casa:

....

....

2. Persona que está como invitada en la casa de otra persona:

....

....

3. Darse de alta en un servicio web:

....

....

4. Pasar la noche en un lugar que no es la propia casa:

....

....

5. El primero que pone en marcha una idea:

....

....

6. Información básica que un miembro de una red social da sobre sí mismo:

....

....

2

En el texto aparecen las siguientes expresiones. Complétalas con la preposición que falta en cada una.

1. salir .... tomar algo

2. registrarse .... una web

3. estar dispuesto .... hacer algo

4. salir .... pasear .... la ciudad

5. convivir .... alguien

6. montar .... bicicleta

7. una manera .... viajar

8. colaborar .... alguien

9. .... las estadísticas

3

¿Cómo son estas personas? Escoge uno o varios adjetivos adecuados de la lista. Puedes añadir **un poco**, **bastante**, **muy**, etc.

- • maniático
- • simpático
- • ordenado
- • radical
- • ruidoso
- • generoso

1. Álvaro tiene su ordenador, su teléfono y su tableta sincronizados, y todo lo guarda en carpetas con un código que nadie más conoce.

Es ....

2. Cristina gana 800 euros al mes y dona 100 euros a una ONG que invierte en proyectos de cooperación.

Es ....

3. Mi vecino de arriba se pasa el día con la música a todo volumen y siempre habla a gritos.

Es ....

4. Ignacio es 100 % vegano y no se viste con productos de origen animal. Da charlas sobre la necesidad de que todo el mundo se haga vegano.

Es ....

5. A David le gusta comer en platos de color azul, no sabe por qué, pero tiene muchísimos en su casa.

Es ....

4 🔊 **41-44**

Cuatro personas hablan de sus manías. Escucha y toma notas.

1. ....
....

2. ....
....

3. ....
....

4. ....
....

5 👥

¿Qué manías tienes tú? ¿Te crean problemas? Habla con otros compañeros.

6 🔊 **45-46**

Escucha estas dos conversaciones de la actividad 1G de la página 113 del Libro del alumno y completa las transcripciones.

1.

– Bueno y... ¿cómo fue tu experiencia con el *couchsurfing*?
– Muy bien, muy bien, ... La dueña muy simpática, charlamos un montón, eh, salimos juntas, me llevó a ver un grupo de música que eran unos amigos de ella. Y también, bueno, conocí a amigos que vinieron a casa a tocar, porque ella también tiene un grupo...
– ¿Sí? ¿Te llevabas bien, en casa ....?
– Sí, sí, sí, fue todo muy fácil. Y... lo único, bueno, a mí me encantan los gatos pero, esto, no sé, me desperté a la mañana y tenía uno encima de la cabeza, un poco...
– Bueno, y el pelo también, ¿no?
– Sí, bueno, los gatos son así. Yo, ..., no soy alérgica ni nada, pero es un lugar un poco difícil si uno no es muy amante de los gatos.

2.

– Oye, y .... tu experiencia con el *couchsurfing*, ¿qué tal?
– Mmm... mala.
– ¿Por qué?
– Resumiendo, mala.
– .... ibas muy ilusionado.
– Sí, iba ilusionado y me parecía una buena idea, pero luego lo que me encontré... Estaba advertido, o sea, sabía que era un tipo especial y... un tanto místico... Pero luego lo que me encontré fue un auténtico integrista, ..., de sus tendencias, de sus predilecciones.
– Demasiada meditación.
– Demasiada meditación. Demasiado silencio, creo. Eh... bueno, le gustaba comer bien, sano, era vegano y... bueno, pensé que me podría adaptar, luego .... no. Era comida aséptica, sin sabor...
– ¿Cuántos días estuviste?
– Al final, pensaba pasar cinco y pasé tres y... al segundo me quería ir.
– Pero hicisteis algunas cosas juntos...
– Sí, me llevó a ver un par de museos y ahí lo pasé muy bien. Explicaba muy bien las obras de arte y el itinerario que hicimos, que escogió, fue muy interesante y en ese sentido lo pasé muy bien. Pero la vida doméstica ....

7

¿Qué crees que significan las partes marcadas en negrita en la conversación?

–Oye, ¿y cómo te fue **(1) lo del** *couchsurfing*?

a. el asunto de
b. el anfitrión de

–Pues mira, muy bien... y un poquito mal.
– ¿Y eso por qué?
– Pues mira, muy bien porque el anuncio no engañaba a nadie, estaba en un lugar muy céntrico, el piso estaba muy bien, todo muy limpio, yo estaba en una habitación donde había dos camas... En fin, **(2) todo bien**...

a. todos estamos bien
b. todo estaba correcto

–Entonces genial, ¿no?
–Sí, **(3) lo que pasa es que** los del piso eran un poco maniáticos.

a. pero hay un problema:
b. y además

–Por ejemplo, **(4) te cuento**: yo llegué, abrí la bolsa e intenté sacar mis cosas, instalarme un poco, y no les pareció bien.

a. te quiero contar una historia
b. te voy a explicar qué sucedió

–Pero si invitan a gente a su casa...
– **(5) Ya**, pues mira, apareció una mujer mayor, que era la que vivía en la casa, y me pidió por favor que no dejara nada fuera de mi bolsa, que dejara las cosas tal y como estaban.
–Todo guardadito.

a. tienes razón, y sin embargo...
b. eso ya lo has dicho

–Todo guardadito. Entonces yo, en un primer momento, me asusté. Pensé: "Ostras, **(6) a vaya sitio he ido a parar**".

a. qué sitio más raro
b. le pedí que se fuera a otro sitio

–Pero luego, conociéndola, pues me llevé una grata sorpresa. **(7) De hecho**, el regalo que yo me he traído de esta experiencia, del *couchsurfing*, es esta mujer encantadora, con sus manías, pero una mujer con un montón de historias para contar. Mira, ya te contaré.

a. en realidad
b. un poco

8

Escucha a este miembro de la red social de *couchsurfing* y completa su perfil personal.

Número máximo de invitados: ....
....
....

Duración máxima de la estancia: ....
....

Vivo: ....

Por favor, trae: ....
....

¿Qué les ofrezco a mis invitados? ....
....

¿Qué puedo hacer por mi invitado? ....
....

Transportes públicos: ....
....

Restricciones: ....
....

Manías: ....
....
....

9

¿Irías a casa de esta persona?
¿Por qué? Habla con tus compañeros.

10

Siete personas cuentan lo que no soportan de la convivencia. Lee sus testimonios, escribe una reacción a ellos y señala con cuál te identificas más. Explícale a un compañero por qué.

1. Elena (28 años, periodista):
"No soporto que mi novio beba leche directamente del tetrabrick".

....
....

2. Carmen (34 años, psicóloga):
"Cuando está en el baño, aunque solo se esté lavando los dientes o peinándose, mi esposo no quiere que haya nadie dentro con él".

....
....

3. Martín (22 años, cocinero):
"Me molesta que mi compañero de piso hable conmigo cuando le digo que estoy concentrado en una cosa importante y que no puedo escucharle en ese momento".

....
....

4. Rosa (32 años, física):
"No me gusta que nada más terminar de comer mi compañero de piso tenga que recoger la mesa a todo trapo. Aunque estemos viendo una película, él se levanta y empieza a llevarse los platos a la cocina. Le digo que ya los recojo yo luego, pero nada...".

....
....

5. Iván (26 años, estudiante de fotografía):
"Mi hermano no me deja entrar en casa si no me quito las zapatillas nada más cruzar la puerta. Es muy pesado con ese tema".

....
....

6. Marcos (36 años, trabajador social):
"Mi novio tarda en arreglarse mucho más que yo y no soporto tener que esperarle siempre cuando yo ya llevo un buen rato listo para salir".

....
....

7. Chelo (46 años, ama de casa):
"Mi marido siempre se queda dormido en el sofá con las luces y la tele encendidas. Me enfada tener que dormir sola todas las noches y el gasto extra de luz que implica que él se pase las noches en el salón".

....
....

11

¿Y qué te molesta a ti o a alguien con quien vives (familiar, amigo, etc.)? Escribe dos textos breves como los de la actividad anterior.

....
....
....
....
....
....
....

12

Marca la forma verbal correcta en cada caso.

1. ¿Te importa que .... un poco de leche de la nevera?

a. coja   **b.** cojo

2. ¿Te importa si .... un poco de leche de la nevera?

a. coja   **b.** cojo

3. ¿Te molesta si .... a cenar a unos amigos esta noche?

a. invitamos   **b.** invitemos

4. ¿Os molesta que .... a cenar a unos amigos esta noche?

a. invitamos   **b.** invitemos

 13

Imagina que estás en estas situaciones. ¿Cómo pedirías ayuda a un amigo? Puede haber varias formas. Acuérdate de justificar tus peticiones. Compara luego tus respuestas con las de un compañero.

1. Has salido muy tarde del cine y has perdido el último tren para ir a tu casa.

....

....

2. De viaje, te alojas en casa de un amigo y te das cuenta de que te has dejado tu cepillo de dientes en tu casa.

....

....

3. Has ido a cenar con unos amigos, pero cuando vas a pagar, tu cartera ha desaparecido.

....

....

4. Tu móvil está sin batería y tienes que hacer una llamada urgente al extranjero.

....

....

....

 14

¿Cómo crees que reaccionan estas personas? Escríbelo. Recuerda que, en español, para pedir o rechazar una petición hay que explicar muy bien por qué.

– ¿Te puedo pedir un favor? Se me ha estropeado el coche y necesito uno para hacer la mudanza. ¿Puedes prestarme el tuyo el sábado por la mañana?

– ....

....

....

– Oye, ¿te importaría dejarme 50 euros para salir esta noche con mis amigos? Te los devuelvo el mes que viene.

– ....

....

....

– Oye, me voy a poner hoy tus zapatos nuevos, que me encantan, ¿vale?

– ....

....

....

– ¿Te importa que friegue los platos cuando vuelva del médico? Es que se me ha hecho tarde y si no, no llego.

– ....

....

....

02
AQUÍ NO HAY QUIEN VIVA

 15

¿Se pueden hacer estas cosas en el residencial Las alondras?
Busca la información en el texto de la página 116 del Libro del alumno.

	Está permitido	Está prohibido
1. Dejar la bici en el jardín.	☐	☐
2. Que un adulto o un niño juegue con balones en la piscina.	☐	☐
3. Tender las toallas en el balcón.	☐	☐
4. Que un niño se bañe en la piscina con flotador.	☐	☐
5. Dejar las bolsas de basura cerradas en la calle para que las recoja el camión de la basura.	☐	☐
6. Que un chico de 14 años vaya a la piscina sin sus padres u otro adulto.	☐	☐
7. Tener una serpiente venenosa en tu casa.	☐	☐

 16

Ahora, sin volver a leer el texto, escribe en estas normas la palabra que falta.

1. No se pueden aparcar vehículos en las zonas

....

2. Los animales .... no pueden

andar .... por las zonas

comunes.

3. Los vecinos deben respetar la ....

del edificio y evitar hacer .... que

puedan molestar.

4. Los propietarios podrán ser .... si el

perro ladra por la noche.

5. La basura debe ir en bolsas de plástico

....

6. Está prohibido realizar cualquier reparación del

vehículo o lavarlo en el ....

17

Vuelve a leer la normativa de la comunidad de vecinos del residencial Las alondras y añade tres normas más que te parecerían lógicas.

....
....
....
....
....
....
....
....
....
....
....
....
....
....

18

Busca en el texto de la página 116 del Libro del alumno las palabras que corresponden a estas definiciones.

1. Lugares que pueden usar todos los vecinos de una comunidad

....

....

2. Zona de entrada de un edificio

....

....

3. Mascota, animal que se tiene en casa

....

....

4. Conjunto de los vecinos que viven en un edificio

....

....

5. Poner la ropa limpia mojada para que se seque

....

....

6. (De un animal) Moverse sin que su amo lo lleve de una correa

....

....

7. Bolsa de plástico completamente cerrada para que no se pueda derramar su contenido

....

....

8. Recipiente grande en el que se tiran las bolsas de basura

....

....

19 48-50

Vuelve a escuchar los problemas de los vecinos de la actividad 2F del Libro del alumno, en la página 117. Toma notas y escribe en tu cuaderno una conversación para cada una de las situaciones. Imagina:

- **cómo explican el problema**
- **cómo reaccionan los vecinos**
- **cómo negocian una solución**
- **cómo resuelven el problema**

Luego compara tus textos con los de otros compañeros.

....

....

....

....

....

....

....

....

....

....

....

....

....

....

....

....

....

....

....

....

....

....

....

....

20 **51**

Escucha y completa la transcripción con las palabras que faltan.

— Hoy en nuestro programa hablamos de los problemas con nuestros vecinos. A veces se trata de pequeñas anécdotas; otras, de verdaderas batallas; pero siempre hay algo que contar. Tenemos a Sergio, desde Ponferrada, buenos días.

— Hola, buenos días.

— Bueno, ¿qué ha pasado, Sergio?

— Pues .... tenemos un problema en la finca donde yo vivo, tenemos un problema los vecinos y, aunque no es un edificio muy alto, porque es un edificio de tres plantas, ... poder instalar un ascensor, ..., yo vivo con mi suegra, ella tiene un problema de movilidad, entonces .... tener un ascensor para que ella , pues, pudiera salir a la calle sin ninguna dificultad. ...., nosotros esto lo planteamos a la comunidad de vecinos y no hemos conseguido ponernos de acuerdo con ninguno de ellos.

— ¿Con ninguno?

— Con ninguno de ellos. Entonces, bueno, yo llamaba a tu programa para ver si, pues ... ., para ver si .... encontrar alguna solución. Si no de entendimiento con nuestros vecinos, pues ...., legal, o alguien que pueda echarnos una mano con este problema.

— Porque... ¿qué alegan exactamente tus vecinos?

— ...., al ser un edificio de pocas plantas, ... la mayoría se ha acostumbrado durante todos estos años a vivir sin ascensor. Y aparte de eso son gente joven, ..., que cuando uno es joven pues .... no lo necesita, se adapta más fácilmente. Pero, claro, estamos hablando de una problemática que afecta a una persona que no tiene ninguna alternativa. .... es de justicia, pues que alguien que tenga problemas de movilidad pueda encontrar una solución a eso.

— Bueno, pues aquí queda tu testimonio, Sergio. Espero que lo puedas arreglar.

— Gracias.

21

Fíjate en las palabras que has escrito. ¿Por qué crees que las utiliza? ¿Se hace algo similar en tu lengua?

22

Lee ahora la transcripción completa. ¿Qué actitud crees que tiene este vecino? Marca las opciones que te parecen adecuadas y señala en el texto los fragmentos en los que te basas para ello.

1. Es maleducado. ☐

2. Es educado. ☐

3. Es conciliador (intenta ver varios puntos de vista). ☐

4. Es agresivo. ☐

5. Es respetuoso. ☐

23

Mira de nuevo la imagen de las páginas 116 y 117 del Libro del alumno y escribe al menos diez cosas que están haciendo los vecinos del edificio. Utiliza **el/la de**..., **el/la que**...

1. ....
....

2. ....
....

3. ....
....

4. ....
....

5. ....
....

6. ....
....

7. ....
....

8. ....
....

9. ....
....

10. ....
....

66
El vecino del primero está tocando el saxofón. *99*

24

¿Quién es quién? Identifica de varias maneras a estas personas.

1. Fran es *el chico de traje y corbata...*
....

2. Ainhoa es ....
....

3. Javi es ....
....

4. Marco es ....
....

5. Gabriela es ....
....

25 🎧

Escribe cosas que deberían ser obligatorias y estar prohibidas en estos lugares o situaciones.

	Debería ser obligatorio...	Debería estar prohibido...
1. En una ciudad ideal		
2. En un curso de español ideal		
3. En unas reuniones de familia perfectas		
4. En una sociedad justa		

26 🎧

En tu país, ¿qué está prohibido, qué está permitido y qué es obligatorio en los siguientes lugares? Escribe al menos dos cosas para cada uno. Compara luego con las respuestas de tus compañeros y haced una lista conjunta.

1. En un vagón del metro	2. En un cine

3. En la calle	4. En una piscina pública

5. En un museo	6. En un parque

27

Transforma las normas cambiando las partes marcadas en negrita como en el ejemplo.

No está permitido **el uso de** bicicletas en el jardín.
No está permitido **usar** bicicletas en el jardín.

1. **La posesión de** animales silvestres y exóticos solo está permitida si no ponen en peligro la salud pública.

2. Se prohíbe **el consumo de** alimentos en la piscina.

3. No está permitida **la entrada de** animales a la piscina.

4. Para realizar el curso es obligatoria **la inscripción previa**.

5. No está permitida **la realización de** obras sin permiso de la comunidad.

28

Completa cada frase con el marcador adecuado: **a partir de**, **desde**, **hasta**, **luego**.

1. Vivimos en este barrio .... hace dos años y la verdad es que estamos muy contentos.

2. Primero alquilamos el piso y .... decidimos comprarlo. Tenemos una hipoteca a 15 años.

3. Está prohibido tocar instrumentos ....

.... las 22 h .... las 9.00 h.

 29

Contesta las siguientes preguntas dando detalles o matizando las respuestas.

1. ¿Desde cuándo conoces a tu mejor amigo?

....
....
....
....

2. ¿Hasta qué hora se puede llamar por teléfono a alguien en tu país?

....
....
....
....

3. ¿Qué vas a hacer luego?

....
....
....
....

 30

¿Qué significan las siguientes señales de tráfico? Escríbelo debajo. Puedes utilizar: **está prohibido**, **es obligatorio**, **hay que**, **no está permitido**, etc.

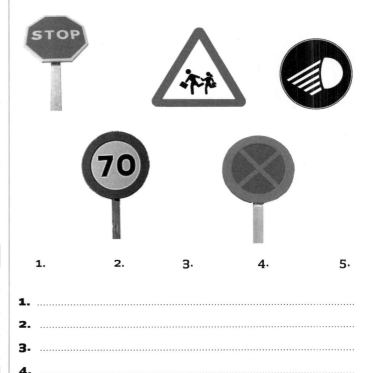

1.   2.   3.   4.   5.

1. ....
2. ....
3. ....
4. ....
5. ....

 31

Escribe una entrada de un foro explicando un problema que has tenido con un vecino y cómo se resolvió. Si no has tenido ninguno, invéntatelo.

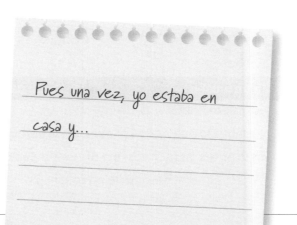

Pues una vez, yo estaba en casa y...

ARCHIVO
DE LÉXICO

32

Marca qué significado tiene **dejar/dejarse** en las siguientes frases.

	poner en un lugar	prestar	permitir	olvidarse de
1. ¿Me dejas 5 euros?	☐	☐	☐	☐
2. Cuando ha empezado la función, no dejan entrar en el teatro.	☐	☐	☐	☐
3. ¡No! ¡Me he dejado el bolso en el restaurante!	☐	☐	☐	☐
4. ¿Me dejas que te dé un consejo?	☐	☐	☐	☐
5. Si quieres, deja el abrigo aquí.	☐	☐	☐	☐
6. Pues no sé dónde está el paraguas rojo. Se lo dejé a alguien el otro día y ahora no recuerdo a quién.	☐	☐	☐	☐
7. Por favor, dejen salir antes de entrar.	☐	☐	☐	☐
8. ¿Dónde he dejado mis gafas? Ahora no las encuentro.	☐	☐	☐	☐
9. ¡Eh! ¡Que te dejas los billetes de tren encima de la mesa!	☐	☐	☐	☐

33

Escribe la forma adecuada del verbo **dejar/dejarse** según corresponda. Añade además los pronombres cuando sea necesario.

1. Perdona, ¿cuándo crees que podrás devolverme los 100 euros que .... la semana pasada?

2. ¿Has visto mi sombrero? .... aquí hace un momento y ahora no lo encuentro.

3. Mi vecino se pasa el día tocando el saxofón y no .... estudiar. Ya no sé qué hacer.

4. ¡......................... en paz, por favor! No quiero hablar más de este asunto.

5. No sabes lo que nos pasó ayer: en el aeropuerto, justo antes de facturar, me di cuenta de que .... el pasaporte en casa!

34

¿De quién puedes decir estas cosas?

1. Tenemos una relación cordial.

2. Tuve un problema con él/ella.

3. No tenemos mucha confianza.

4. Nos llevamos muy bien.

5. No lo/la soporto.

6. No me cae muy bien.

35

Fíjate en la información marcada en negrita que esta persona da sobre sí misma y escribe sobre ella utilizando: **gustar, (no) soportar, molestar, (no) saber, tener la manía de, llevarse bien/mal con alguien, caerle (alguien) bien/mal a alguien, tener una relación cordial con/un problema con...**

Hola, Guille:

¿Cómo sigues? Yo feliz, ya sabes, ¡recorriendo el mundo haciendo *couchsurfing*! Ya he tenido unas cuantas experiencias y la verdad es que ha habido de todo. Tenías razón: puede ser divertido o un desastre, según con quién te encuentres. Para mí ha sido de todo. Ya sabes que **los animales no son lo mío**, la verdad, y resulta que hace unos días, mi anfitrión no me avisó de que tenía un perro, un gato y un canario. ¡Tremendo! **Los gatos no me gustan nada**: se te suben por todas partes cuando no te lo esperas y no te dejan dormir. **Los perros son babosos y aburridos; los pájaros se pasan todo el día cantando...** Además, ya sabes que **yo tengo la costumbre de despertarme a hacer gimnasia a las 3 de la mañana y volver a dormirme después**. Pues los perros ladraban cuando sonaba el despertador... Total, ¡aquello parecía una casa de locos! **Mi anfitrión y yo no nos entendimos**, claro. Además, **no era una persona simpática**. Por suerte, solo estuve allí una noche. La siguiente noche fue genial: estuve con una pareja muy amable que vive a las afueras de la ciudad, en una zona residencial en la que no se oye ni un ruido. **¡Me encantaron!** Además cocinaban genial. Menos mal, porque ya sabes que **la cocina no se me da muy bien**... Estuve dos días allí, y **tuvimos conversaciones estupendas y nos hicimos amigos**; me llevaron a montar en bici, a pasear por el campo... ¡Una maravilla! Ya te contaré cómo sigue mi viaje...

Un abrazo fuerte y hasta pronto,

Isa

 36

¿Tienes algo en común con Isabel? Escríbelo en tu cuaderno. Puedes utilizar los siguientes recursos.

A mí sí/no/también/tampoco me gusta (que)...
A mí sí/no/también/tampoco me molesta (que)...
Para mí es fundamental que ...
En mi casa, sí/no/también ...
Yo también tengo una manía...
A mí también me cae bien/mal...
Yo también me llevo bien /mal con...
Yo también tengo una buena relación/ un problema con...

 37

¿Con qué verbo se pueden combinar los siguientes elementos? Escríbelos donde corresponda y luego continúa las series.

- de bares
- barrio
- un sitio web
- en ascensor
- la moto
- casa de un amigo
- las opiniones de los demás
- ruido
- una ONG
- un amigo a casa

1. salir: a tomar algo, ...

2. registrarse en: una red social, ...

3. aparcar: el coche, ...

4. hacer: obras, ...

5. subir: por las escaleras, ...

6. respetar: la tranquilidad, ...

7. cambiarse de: casa, ...

8. alojarse en: un hotel, ...

9. colaborar con: las tareas domésticas, ...

10. invitar a: cenar, ...

campus.difusion.com

VÍDEO

38

¿Qué recuerdas sobre el vídeo de la unidad? Habla con un compañero.

39

Vuelve a ver el vídeo a partir del minuto 02:41 y toma nota de los problemas de los que hablan las personas entrevistadas.

Problemas:

1. ....
....
....
....
....

2. ....
....
....
....
....

3. ....
....
....
....
....

4. ....
....
....
....
....

40

Escribe y luego comenta con varios compañeros las siguientes cuestiones.

1. ¿Qué cosas de las que cuentan en el vídeo te han sorprendido (positiva o negativamente)?

....
....
....

2. Algunos problemas se solucionaron. ¿Crees que fue la solución adecuada?

....
....
....

3. Los problemas que no se solucionaron, ¿cómo crees que se podrían solucionar?

....
....
....
....

SANIDAD, EDUCACIÓN Y CULTURA

01
FELICIDAD NACIONAL BRUTA

Lee el texto de las páginas 124 y 125 del Libro del alumno y señala cuáles de estas ideas se mencionan en él y cuáles no.

	Sí	No
1. En la década de 1970 Bután abrió un debate sobre la relación entre la felicidad de un pueblo y su crecimiento económico.	☐	☐
2. En este país se creó un organismo destinado a aumentar la felicidad de sus ciudadanos.	☐	☐
3. El rey de Bután ordenó suprimir todos los impuestos y crear leyes más justas.	☐	☐
4. Tras los cambios en su gobierno, convirtió a Bután en el país más feliz de 2012.	☐	☐
5. El PIB (Producto Interior Bruto) no sirve para medir la felicidad de un país.	☐	☐
6. Uno de los criterios para medir el índice de felicidad es el mayor consumo de productos básicos y de lujo.	☐	☐
7. Los expertos están de acuerdo en los factores que hacen que un país sea feliz.	☐	☐

Vuelve a leer este fragmento del texto y complétalo con las palabras y grupos de palabras del recuadro. Luego comprueba leyendo el texto original.

- están cubiertas
- gobierno
- es considerado
- objetivo
- como medida
- consumir
- es proporcional a
- se encarga de
- bienestar
- se mide

En la década de 1970, el rey de Bután, un pequeño reino del Himalaya, dijo que la Felicidad Interior Bruta es mucho más importante que el Producto Interior Bruto (PIB). Declaró que su .... y el de su .... era aumentar la felicidad de sus ciudadanos. Por eso creó la Comisión de la Felicidad Nacional Bruta, un organismo que .... que todas las leyes e inversiones de la Administración pública sirvan para que los ciudadanos sean más felices.

Desde entonces, Bután .... el origen de uno de los debates más interesantes sobre el .... social: ¿cómo .... la calidad de vida? ¿Cómo se valora la felicidad de un pueblo? ¿Deberíamos dejar de utilizar el Producto Interior Bruto .... de nuestro bienestar? Parece que, cuando las necesidades básicas .... , los pueblos no son más felices por poder .... más. Es decir, la velocidad del crecimiento económico no .... la felicidad de la población.

3

¿Qué significa que en un país...

... haya libertad de prensa?

Que los medios de comunicación puedan informar sin censura.

... haya seguridad?

... haya derecho a la educación?

...tengan un sistema sanitario universal?

... se viva en paz?

... se respete a las minorías?

... se proteja el medio ambiente?

... cubra las necesidades básicas de la población?

... se tenga acceso a la información?

4

Escribe datos de tipo social, económico, cultural y medioambiental sobre tu país y decide si es un país feliz o no.

Aspectos positivos	Aspectos negativos

66

Yo creo que es relativamente feliz porque tiene muchas políticas sociales, pero... **99**

5

Esta es la posición que ocupa España en algunos listados internacionales. Escribe el numeral (ordinal o cardinal) correspondiente en cada caso y elabora después una lista similar sobre tu país.

1. España es el (32) .... consumidor de pescado del mundo.

2. Es el (1) .... donante de órganos.

3. Es el (3) .... país más visitado del mundo.

4. Ocupa el puesto (27) .... en el IDH (Índice de Desarrollo Humano).

5. En el *ranking* de consumidores de cerveza ocupa el puesto (23) .... y el (25) .... en el de café.

6. Según el informe PISA, es el (29) .... en educación.

7. En el *ranking* de seguridad está en el (25) .... lugar.

6

Escucha estos datos sobre algunos países y escribe qué puesto ocupan en cada *ranking*.

1. Brasil es el .... país del mundo en población, mientras que Perú ocupa el puesto ....

2. Ecuador es el .... en el *ranking* de mejor clima del planeta. Sin embargo, en el *ranking* de mejor clima para hacer negocios está en el puesto ....

3. Cuba y Colombia están en los puestos .... y .... de los países más ecológicos del mundo, respectivamente.

4. Colombia está entre el .... y el .... lugar de los países con mayor biodiversidad.

7

Completa el cuadro con los infinitivos correspondientes a estos sustantivos.

verbo	sustantivo
....	conservación
....	ayuda
....	intento
....	elaboración
....	llegada
....	desarrollo
....	mejora
....	fabricación
....	encargo
....	medida
....	producción
....	dependencia
....	alfabetización
....	evolución
....	consumo

8

Mira esta tabla sobre la evolución de algunos datos de diferente tipo en Argentina entre 2013 y 2016. ¿Cómo cambiaron? Escríbelo usando los verbos del recuadro.

> • aumentar • bajar • mejorar
> • ascender • empeorar • reducirse
> • mejorar • crecer
> • subir • disminuir

Dato	2013	2016	Diferencia
Tasa de pobreza	26 %	30 %	+ 4 %
Tasa de paro	6,4 %	8,4 %	+2 %
Gasto público por habitante	3 886 euros	4 437 euros	+551 euros
Gasto público (total)	163 992 millones de euros	194 535 millones de euros	+30 543 millones de euros
Exportación de maíz	20 336 774 toneladas	22 941 630 toneladas	+2 604 856 toneladas
Exportación de trigo	2 605 607 toneladas	8 884 098 toneladas	+6 278 491
Exportación de cebada	4 010 125 toneladas	2 136 403 toneladas	- 1 873 722 toneladas
Importaciones de vehículos	10 % del total	7 % del total	-3 %
Importaciones de combustibles y lubricantes	15 % del total	9 % del total	-6 %
Usuarios con acceso a internet	60 % de la población	69,5 % de la población	+ 9,5 %
Posición en la lista PISA	Puesto 59	Puesto 39	-20

El gasto público por habitante aumentó un 2 %.

9

Completa este texto con los verbos del recuadro en la forma adecuada.
Puede haber varias posibilidades.

> • **aumentar**   • **garantizar**   • **mantener**
> • **facilitar**   • **promover**   • **alcanzar**
> • **fomentar**   • **favorecer**   • **satisfacer**

La mayor parte de los economistas opina que para que un país tenga una economía sana es importante .... el crecimiento económico y .... el empleo. Esto permite .... las conquistas del estado del bienestar que se han .... en muchos países. Así, es necesario .... las necesidades básicas de los ciudadanos (en cuanto a alimentación, vivienda, educación y sanidad), ... la protección social mediante subsidios de desempleo, pensiones y becas de estudios, ... el acceso al mercado laboral de las mujeres y los jóvenes y .... la protección del medioambiente.

02
COLOMBIA: UN RETRATO

 10

Después de leer el texto "Colombia en datos" de la página 128 del Libro del alumno, decide si las siguientes informaciones sobre Colombia son verdaderas (V) o falsas (F).

	V	F
La población blanca ocupa menos del 50% de la sociedad	☐	☐
Uno de los problemas principales es la inseguridad en el campo.	☐	☐
Es el sexto país más poblado de América.	☐	☐
La gran mayoría de la población está alfabetizada.	☐	☐
Sus estudiantes no tienen buenos resultados en el informe PISA.	☐	☐
Solo la mitad de su población tiene acceso a los servicios sanitarios.	☐	☐
Casi la mitad de los hogares tiene acceso a internet.	☐	☐
Una industria muy importante es la minería.	☐	☐

11 Comprueba con el texto si tus respuestas son correctas y corrige la información falsa.

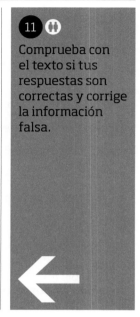

 12

Un ejercicio de memoria: ¿podrías contestar estas preguntas sobre Colombia?

1. ¿Cuántos millones de habitantes tiene?
  a. 39. **b.** 49. **c.** 59.

2. ¿Cuál es el grupo étnico más importante?
  a. Afrocolombianos. **b.** Blancos. **c.** Mestizos.

3. ¿Cuál es una de sus principales industrias?
  a. Pesca. **b.** Floricultura. **c.** Informática.

4. ¿Qué posición ocupa en número de hispanohablantes?
  a. Tercera. **b.** Cuarta. **c.** Quinta.

5. ¿Cuál es la moneda oficial?
  a. El peso colombiano. **b.** La rupia. **c.** El sucre.

6. ¿Qué producto exporta?
  a. Azúcar. **b.** Tabaco. **c.** Cacao.

13

Relaciona estos datos con el concepto al que se refieren. Luego, comprueba con el
texto de la página 128.

1.	Renta per cápita	**a.**	12,24 % del PIB
2.	Esperanza de vida	**b.**	Menos del 5 %
3.	Mortalidad infantil	**c.**	90 % en primaria
4.	Acceso a internet	**d.**	15,02 ‰
5.	Población indígena	**e.**	Aproximadamente el 50 % de los hogares
6.	Exportaciones	**f.**	75 años
7.	Escolarización	**g.**	6 014 € al año

14

Haz hipótesis sobre cuáles pueden ser las
palabras que faltan en el texto introductorio
de "Colombia en datos". Comprueba después
tus respuestas en la página 128 del Libro
del alumno.

Colombia ha vivido una gran

transformación en las últimas .... :

ha dejado de estar marcada por la

violencia y se ha ....

en una de las seis economías

emergentes más interesantes para

los .... **de todo el mundo.**

En la última década, el Producto Interior

Bruto (PIB) de Colombia ha ....

de media casi un 6 % y su deuda

pública ha .... **. Pero es**

necesario que se consolide el proceso de

para que los .... **que ahora se**

destinan a defensa y seguridad puedan

dedicarse a la educación, la agricultura

o las ....

15

Señala en el texto de Héctor Abad Faciolince diez palabras o
expresiones que son nuevas para ti, explica con tus palabras qué
crees que significan y luego comprueba con el diccionario.

Colombia me parece un buen resumen del
mundo. Una élite prevalentemente blanca
en el color de la piel, que constituye un poco
menos del 10 % de la población total, que vive
en los climas más fríos y ocupa las tierras más
fértiles, es dueña del 80 % de la riqueza general
(las minas, la agricultura, el ganado, los bancos, las industrias) y
controla el poder político. Otro 40 % de la población, un poco más
oscura en su aspecto exterior, trabaja duramente, más que para
llegar a ser élite, para no caer en la pobreza del otro 50% de la
población, que vive en las tierras más cálidas y menos fértiles o en
las partes más duras de las ciudades, que es negra, india, mulata
o mestiza, y que nunca está del todo segura de poder comer o de
tener agua limpia al día siguiente.

Héctor Abad Faciolince. *Colombia, boceto para un retrato.*

16 🔊 **53**

Escucha de nuevo la grabación sobre Colombia y completa la transcripción.

Una de las cosas que cabe resaltar de Colombia estos últimos años es el cambio de su economía. Ha salido adelante. Con esto del Tratado de Libre Comercio ha mejorado muchísimo su economía.

Colombia es un país rico en ...., en biodiversidad, en fauna, en flora, en piedras preciosas, en ...., pero no tiene la suficiente capacidad para procesar todas estas materias primas. Entonces vienen países ...., que vienen con sus nuevas tecnologías a comprarnos la materia prima, ... y nos venden productos industriales muchísimo más caros que, al final de cuentas, es nuestro mismo producto, un poco más procesado y ya está.

En cuanto a la educación, las clases sociales están muy marcadas. Las personas .... tienen la posibilidad solo de ir a la escuela pública que, para mi criterio, deberían mejorar un poco más (...).

Colombia, ..., ha avanzado un poco más en tecnología, pero hasta el día de hoy, no todos tienen acceso a .... Hay algunas zonas donde está mucho más marcada la pobreza y las personas ...., que sí tienen acceso a esta tecnología, ... para ir a estas zonas de más pobreza y explicarles un poco a los niños y a los adultos cómo ...., cómo va esta nueva tecnología, que para nosotros, los de la ciudad y los del interior, está ...., pero hay zonas en donde hace falta aclarar y enseñar cómo funciona todo esto.

Si un trabajador queda desempleado, no existe una oficina de ayuda ....; un servicio social del Gobierno no existe como tal.

17

Escribe una frase, en tus propias palabras, que resuma el contenido de cada uno de los párrafos del texto anterior.

1. ....

....

2. ....

....

3. ....

....

4. ....

....

5. ....

....

18

Aquí tienes algunos datos estadísticos sobre España. Reescribe esta información siguiendo el modelo de la página 130 del Libro del alumno.

> **Población: 46,5 millones (51 % mujeres, 49 % hombres)**
> **0-14 años: 15 %**
> **15-29 años: 16 %**
> **30-64 años: 51 %**
> **+ 65 años: 17 %**
> **Raza: blanca 90 %**
> **Paro: 19 %**
> **Paro en menores de 25 años: 43 %**
> **Religión: 75 % católica, 21 % no creyentes o ateos, 4 % otras.**
> **Procedencia de la inmigración: 36 % de Sudamérica, 21 % de Europa Occidental, 17 % de Europa del Este, 14 % de Marruecos, 4 % de África subsahariana, 4 % de Asia.**

En España un tercio de la población tiene menos de 30 años.

 19

Lee estos textos sobre Bolivia y anota algunos datos que te han sorprendido. Coméntalo con dos compañeros.

GEOGRAFÍA: Tiene una extensión dos veces mayor que la de España, pero está poco poblado: solo unos 10 millones de habitantes. A pesar de lo que se cree, solo el 30 % del país es montañoso. Una parte del territorio es de selva húmeda y la otra de zonas desérticas.

SOCIEDAD: Es el país más seguro de Hispanoamérica, con el menor índice de criminalidad a pesar de la producción y el tráfico de drogas. No existe la pena de muerte.

POLÍTICA: Es bastante estable, aunque hace unos años las provincias ricas del interior, habitadas por la élite blanca, querían ser independientes. Ha sido uno de los primeros países en tener un presidente indígena. Se ha proclamado una ley para subir los impuestos a las empresas petroleras extranjeras.

ECONOMÍA: Es el país más pobre del continente. Sin embargo, es la segunda reserva más importante de gas en Hispanoamérica. Las expectativas sobre su desarrollo económico son muy favorables. De hecho, en la última década ha descendido el paro. El salario mínimo es de 235 euros en 2016.

HISTORIA: Bolivia es, junto a Paraguay, el único país de América del Sur que no tiene acceso al mar. Esto ha dado lugar a varios conflictos con Chile y Perú, sus países vecinos, por intentar conseguir una salida al Pacífico.

Media de edad: 22 años
Pobreza: 39 %
Pobreza extrema: 17 % (con menos de 2,5 $ al día).
Educación: 97 % de alfabetización
Población: 68 % mestizos, 20 % indígenas, 5 % blancos, 2 % cholos, 1 % afroamericanos, 1 % otros grupos, 3 % no especificados
Idiomas: 37
Religión: 68 % católicos, 23 % protestantes, 5 % sin religión
Fauna y flora: puesto n.º11 en variedad de seres vivos
1 555 tipos de patatas
IDH: 118 entre 188

—*Me ha parecido curioso que haya…*
—*Me ha sorprendido que tenga…*
—*Me ha llamado la atención que sea…*
—*Me extraña que haya…*
—*No sabía que Bolivia…*

20

Une las expresiones que puedes usar como equivalentes cuando redactas el texto para hacer una exposición oral.

1. Lo mismo sucede en	**a.** Es decir
2. Asimismo	**b.** Respecto a
3. El tema de la presentación es	**c.** En este sentido
4. En cuanto a	**d.** En resumen
5. Y, al final,	**e.** Vamos a hablar de
6. Este gráfico representa	**f.** La situación es similar en
7. En conclusión	**g.** Aquí se da información sobre
8. Fijaos en que	**h.** Un aspecto importante es
9. O sea	**i.** Para terminar

 21

¿Para qué se utilizan las expresiones anteriores? Puedes ayudarte con el esquema de la página 130 del Libro del alumno.

Para presentar el tema: _Vamos a hablar de..._

Para organizar los temas: ....

Para interpretar una imagen: ....

Para reformular: ....

Para aludir a un tema: ....

Para destacar un aspecto: ....

Para añadir información complementaria: ....

Para establecer una analogía: ....

Para concluir el tema: ....

 22 **54**

Escucha la presentación de estos estudiantes sobre España y, sin mirar la página siguiente, toma nota en tu cuaderno sobre los siguientes temas.

**Economía
Sociedad
Política**

 23 **54**

Vuelve a escuchar la presentación y anota las expresiones con las que los estudiantes estructuran el texto (introducir temas, resaltar, poner ejemplos, etc.).

24

Aquí tienes la transcripción de la audición anterior. ¿Puedes sustituir las expresiones resaltadas en color por otras equivalentes?

Buenos días a todos. Bienvenidos a esta presentación que vamos a empezar ahora mismo, donde comentaremos brevemente cuál es la situación económica, política y social en la España de hoy. En primer lugar, hablaremos de los aspectos económicos. Después, prestaremos atención a cuestiones sociales y, al final, nos centraremos en cuál es la actualidad política. Para terminar, veremos un documental muy interesante que se emitió en televisión el sábado pasado.

Bueno, pues empecemos con los aspectos económicos. Los años 80 fueron una época dorada de la economía española. El producto interior bruto creció más de un 3 % anual y el país, claro, recibió más de 4 millones de inmigrantes. Mirad, en este gráfico podemos observar cómo aumentó la población en poco tiempo. Desgraciadamente, el crecimiento económico estaba centrado en el sector de la construcción. Y claro, cuando comenzó la crisis mundial el año 2008, los bancos dejaron de dar créditos para construir y comprar viviendas. Esto hizo aumentar la tasa de paro espectacularmente, y esa tasa hoy alcanza el 30 % de la población laboral. Y siguiendo con lo que dice mi compañera, recalcaremos que esta situación es en especial dramática para los jóvenes, cuya tasa de paro llega al 56 %, es decir, que en la actualidad uno de cada dos jóvenes no tiene trabajo. En este sentido, desde el comienzo de la crisis, España ha perdido casi dos millones de habitantes, no solamente los inmigrantes que han regresado a sus países de origen, sino también los jóvenes españoles con estudios superiores que emigran al extranjero. Esta situación es similar a la de los otros países del sur de Europa.

Todo esto en lo que afecta a asuntos más relacionados con el mundo laboral, pero en cuanto a temas sociales, podríamos comentaros que antes de la crisis, y bajo el mandato del partido socialista, se hicieron muchas reformas sociales y de signo progresista, como por ejemplo la aprobación del matrimonio entre personas del mismo sexo y también una ley sobre el aborto, todas ellas leyes de carácter más liberal. Sin embargo, al llegar la crisis, como podemos ver en este gráfico, se ha dado un giro hacia posiciones más conservadoras en la sociedad. Otro tema importante es que han aumentado las tensiones en algunas regiones de España, que ahora mismo exigen mayor autonomía al Gobierno central.

Y ahí es donde entra la política. Y respecto a ella, los dos grandes partidos políticos que se han turnado tradicionalmente en el poder, uno socialista (el PSOE) y otro conservador (el PP), han perdido la confianza de muchos ciudadanos. Hay que resaltar en este sentido las manifestaciones y los movimientos de protesta ciudadana como el movimiento del 15-M o los partidos Podemos y Ciudadanos.

En resumen, en España, como está ocurriendo en otros países de la Unión Europea, se están viviendo tiempos de cambio e inestabilidad.

25

En parejas, preparad una breve exposición sobre algún aspecto de la situación social o económica de vuestro país o de otro para exponerla en clase. Utilizad las expresiones de la actividad anterior.

ARCHIVO DE LÉXICO

 26

Escribe en cada caso el nombre de un país que se adecue a la siguiente información. Busca en internet los datos que necesites.

> **Una economía potente**

> **Un país en desarrollo**

> **Un país emergente**

> **La mayor parte de su población se dedica a la agricultura**

> **Produce petróleo**

> **Produce tecnología**

> **Recibe muchos turistas**

> **Tiene mano de obra barata**

> **Es rico en recursos naturales**

 27

Busca en internet algunos datos sobre aspectos sociales, políticos y económicos de los siguientes países. Utiliza el léxico de la página 132 del Libro del alumno.

Cuba	Brasil
India	Argentina
Perú	China
República Dominicana	España

28

¿Qué significan estas siglas? Escríbelo en español.

IVA: .... OTAN: ....

ONU: .... UE: ....

PIB: .... FMI: ....

29

Aquí tienes otros acrónimos muy usados en España. Busca en internet a qué se refieren.

AVE: ....

RENFE: ....

RTVE: ....

I+D: ....

EE.UU.: ....

PP: ....

PSOE: ....

CC.OO.: ....

UGT: ....

VÍDEO

campus.difusion.com

30
¿Qué recuerdas sobre el vídeo de la unidad? Habla con dos compañeros.

31
Vuelve a ver el vídeo a partir del minuto 01:28. ¿Qué responden las personas de las fotos a las siguientes preguntas?

1. ¿Qué hace falta para ser feliz?

1. ....

2. ....

2. ¿El dinero da la felicidad?

1. ....

2. ....

3. ¿Qué debe hacer un Gobierno para que sus ciudadanos sean felices?

1. ....

2. ....

3. ....

4. ¿Cuál cree que es el país más feliz del mundo? ¿Por qué?

1. ....

2. ....

3. ....

4. ....

32
Y tú, ¿qué piensas? Responde tú a las preguntas anteriores y habla con un compañero. ¿Opináis lo mismo?

33
En grupos, elaborad una breve encuesta con las preguntas anteriores y hacédselas a amigos, familiares u otras personas de vuestro entorno. Luego, compartid vuestros resultados con el resto de la clase.

¿ENFADADO O DE BUEN HUMOR?

01
¿TE LO TOMAS CON CALMA?

Marca con qué opción te identificas más en cada caso.

1.
- [ ] Me pongo nervioso a menudo.
- [ ] Me lo tomo todo con calma.

2.
- [ ] Estoy de mal humor bastantes veces.
- [ ] Casi siempre estoy de buen humor.

3.
- [ ] Tengo bastante mal carácter.
- [ ] Tengo muy buen carácter.

4.
- [ ] Cuando tengo un problema con alguien, me peleo fácilmente.
- [ ] Cuando tengo un problema con alguien, hablo tranquilamente.

5.
- [ ] Hoy estoy enfadado.
- [ ] Hoy estoy de buen humor.

¿Qué significan estas expresiones en el texto de la página 136 del Libro del alumno? Intenta explicarlo en español con tus propias palabras.

1. No tiene ganas de ir al supermercado.

No le apetece ir al supermercado.
....

2. Se pone a la cola.

....
....

3. Por fin le toca.

....
....

4. Un chico se cuela.

....
....

5. Deja pasar al chico.

....
....

6. Le da la razón.

....
....

3

¿Qué significan estas expresiones en el texto de la página 136 del Libro del alumno? Intenta explicarlo en español con tus propias palabras.

– Sí, cuando se termine... Cuando se termine el plato. No, no, no, a mí no me importa.
– Oye, (1) perdona, perdona... Los niños estos que hay por aquí corriendo son vuestros hijos, ¿verdad?
– Sí, ¿qué pasa?
– (2) No, mira, verás... Es que mi mujer... Estamos cenando con mi mujer, estamos celebrando su cumpleaños... A ella le duele un poco la cabeza y los niños están... (3) No es que nos estén molestando, pero (4) igual están gritando un poco demasiado...
– Bueno... ¿Hasta qué punto os molestan?
– (5) Pues la verdad es que nos están molestando mucho, te lo digo...
– No están haciendo nada malo.
– No, no, no, ya lo sé, que te lo digo de buenas, que (6) no pasa nada y te entiendo perfectamente porque mi hermana tiene niños pequeños, pero es que están gritando, están... Mira, ahora están molestando a esa pareja que hay ahí. Entonces, (7) no sé, si los podéis controlar un poco...
– Bueno, no te preocupes, ya nos encargamos, ¿eh?
– Vale.
– (8) Disculpa las molestias.

En mi lengua:

1. ....
2. ....
3. ....
4. ....
5. ....
6. ....
7. ....
8. ....

4

Completa cada frase con su expresión adecuada.

- darle vergüenza
- sentirse como un tonto
- estar de mal humor
- enfadarse
- ponerle de mal humor
- ponerse contento
- no darle importancia
- sentirse bien consigo mismo

1. Rocío es muy tímida, ... hablar en público: se pone roja y se equivoca mucho.
2. Enrique ha cambiado mucho, ... y está más tranquilo y feliz que antes.
3. No hables con ella, hoy ...., es que ayer le robaron la bicicleta.
4. A mi hermano .... tener que levantarse temprano para ir a la escuela.
5. Rosa .... mucho cuando su jefe le dice que tiene que volver a redactar un informe.
6. Mi perro .... cuando llego a casa por las tardes.
7. Es muy generoso con todo el mundo, ... al dinero.
8. Marcelo no quiere ver a los amigos de su novia, ellos solo hablan de política y él .... porque no sabe nada del tema.

5

Haz preguntas de esta encuesta a varios compañeros. Comparte
con la clase las respuestas más interesantes, curiosas...

¿Qué cosas odias?	¿Qué no soportas hacer?	¿Qué te molesta que otros hagan?
Las prisas y el estrés.		

¿Qué te da vergüenza?	¿Qué no te importa que otras personas hagan?	¿Qué te pone de buen humor?
Hablar en público.		

> 66
> —Carla lo pasa mal cuando se pelea
> con su novio o sus amigos.
> —Y Michael lo pasa fatal cuando
> tiene que hablar en público. Se pone
> muy nervioso. 99

6

¿Qué emociones y sentimientos experimentas en las siguientes situaciones?

1. Durante un examen de español:

2. En una fiesta donde no conozco a nadie:

3. En una comida familiar:

4. Cuando tengo que hablar en público:

5. Cuando llego tarde a una cita:

6. En una reunión con antiguos compañeros de escuela:

7. En la playa:

8. Cuando no recuerdo el nombre de alguien:

9. Cuando un bebé llora en un transporte público:

7

¿A qué grupo pertenece cada verbo? Fíjate en cómo se conjuga y con qué pronombres va. Para ayudarte pon un ejemplo en la primera persona (**yo / a mí**...).

Grupo A		Grupo B		
(yo) me pongo nervioso/a (tú) te pones nervioso/a (él/ella) se pone nervioso/a		(a mí) me (a ti) te (a él/ella) le	pone nervioso/a ponen nervioso/a	el café/viajar que la gente fume los perros

	Grupo	Ejemplo
preocuparse	A	Me preocupo por mis amigos.
molestarse		
ponerle nervioso		
darle vergüenza		
enfadarse		
sentirse ridículo		
ponerse contento		
molestarle		
no importarle		
darle rabia		

8

Lee el siguiente diálogo y completa con los pronombres.

Julia: ¿Qué .... pasa? Tenéis mala cara. ¿Estáis bien?

Berta: Regular. Laura .... siente un poco mal. Es que .... ha peleado con su novio, así que .... he traído aquí para que .... quede hoy con nosotros. La verdad es que yo también .... siento un poco nerviosa. La situación ha sido muy violenta. Perdona, Julia, ¿estabas estudiando? No queremos molestar............ .

Julia: No .... molestáis . ¿Queréis que .... prepare un café?

Laura: No, gracias. .... sienta mal el café.

Berta: Yo sí quiero, pero .... hago yo, tú siénta............ . Oye, no tenemos leche. ¿.............. la pido a la vecina?

Julia: A estas horas no. .... pone de mal humor si .... despiertan de la siesta. Bueno, Laura, puedes quedar.............. aquí el tiempo que quieras.

Laura: .... lo agradezco, pero...

Julia: Mira, si no .... importa que .... dé mi opinión, yo creo que tienes que tomar.............. las cosas con más calma.

9

Imagina que has tenido las siguientes conversaciones. Inventa un final para cada situación.

En un taxi

Tú: Oiga, perdone, pero... creo que me ha cobrado de más.

Taxista: No, es que son 5 € de la tarifa nocturna.

Tú: Pero, ¡si todavía es de día!

Taxista: Sí, pero es que a partir de las 20 h cambia la tarifa.

Tú: Oiga, ¿me está tomando el pelo? Yo no pienso pagarle esa tarifa.

Taxista: Usted verá, pero yo ahora mismo llamo a la policía.

Con el dueño del piso donde has vivido hasta ahora

Tú: ¿Y la fianza del alquiler? ¿Cuándo nos la devuelve?

Casero: La fianza no se devuelve. Es para cubrir lo que habéis estropeado en la casa.

Tu compañero: ¡Pero si no hemos estropeado nada!

Casero: Bueno, pero es para pintar y limpiar el piso.

Tú: Ya, pero eso es cosa suya. En el contrato que firmamos, dice que, al entregar las llaves, se devuelve la fianza si no hay desperfectos. Y no hay, lo hemos cuidado todo muchísimo.

Casero: Mirad...

10

En parejas, os contáis lo que pasó en cada caso. Ayudaos con las expresiones de la actividad E de la página 139 del Libro del alumno.

❝ El otro día, tuve un problema con un taxista... ❞

02
Y, SIN EMBARGO…, TE QUIERO

 11

Antes de leer el texto de la página 140 "Y, sin embargo… te quiero", haz una lista con las palabras o expresiones que crees que pueden aparecer en él. Lee después el texto. ¿Aparecen las palabras de tu lista?

 12

Lee de nuevo el texto de la página 140 y formula las ideas más importantes utilizando este vocabulario.

- conocer
- conocidos
- contar con un amigo
- importarle a alguien
- amigo de verdad
- confiar en
- defectos
- cuidar

13

Compara tus frases con las de un compañero. ¿Expresáis las mismas ideas? Revisad si hay errores y comentadlos.

14

Aquí tienes una serie de verbos para hablar de actitudes y amistad. Elige los que van bien en cada frase. ¿Cómo los traducirías a tu lengua?

- • confiar
- • comportarse bien
- • dejarlo colgado
- • conseguir tu objetivo
- • quejarse
- • intentar olvidar
- • meterse en su vida
- • darle la razón
- • perdonar

1. Si notas que se comete una injusticia, debes

   para que no vuelva a suceder.

2. Si en una discusión crees que eres tú el que se ha equivocado, debes

   a la otra persona.

3. Cuando alguien es tu amigo,

   en él.

4. Cuando opinas sobre las relaciones de un amigo o le dices lo que debe hacer sin que te lo pida, estás

5. Si no estás cuando un amigo te pide ayuda, lo

6. Todos cometemos errores. Por eso, hay que saber

   a los demás.

 15

Escribe ejemplos como los anteriores con los verbos que no has utilizado.

16

Decide cómo actuarías tú en las siguientes situaciones hipotéticas
y anótalo. Luego, habla con un compañero.

 Yo no le diría nada. Me
daría vergüenza. Y tú,
¿se lo dirías?

	¿Se lo dirías?		¿Qué le dirías? / ¿Qué harías?	
	Tú	**Tu compañero**	**Tú**	**Tu compañero**
1. Un chico está sentado con los zapatos sobre el asiento del autobús.				
2. Estás tomando algo con un conocido y se le queda algo de comida entre los dientes.				
3. Un/a antiguo/a novio/a se ha puesto en contacto contigo en Facebook. Tu novio/a no lo sabe.				
4. Un compañero de trabajo te ha hablado mal sobre otro compañero.				
5. Estás en una cafetería con varios amigos y uno habla demasiado alto.				

Lee las siguientes frases y reescribe las partes subrayadas utilizando un adverbio en **-mente**. ¿Cómo expresarías esa idea en tu lengua?

1. El regalo que me hiciste me hizo muy, muy feliz. ¡Eres genial!

....

2. Lo siento, al final no puedo ir a tu fiesta. Por desgracia, mi abuelo se ha puesto muy enfermo y tengo que ir al hospital.

....

3. Desde el punto de vista económico, la campaña de publicidad ha sido un fracaso.

....

4. No me gusta nada la ópera. Con franqueza, creo que es un género elitista y anticuado.

....

5. Juzgas a la gente de manera injusta.

....

6. Es evidente que en este viaje vamos a tener dificultades, pero tendremos que encontrar soluciones para cada una de ellas.

....

7. Voy a tener en cuenta todos vuestros comentarios porque todas las opiniones me parecen igual de respetables.

....

8. De verdad, mi hijo no tiene ningún interés en sus estudios, así que creo que lo mejor es que cambie de carrera.

....

Fíjate en el ejemplo y reformula las frases usando estructuras de relativo. Puede haber más de una manera.

Me río mucho con Víctor.
Víctor es una persona con la que me río mucho.
Víctor es un chico con el que me río mucho.

1. Ana siempre dice la verdad.

Ana es...

....

2. A Marina le gusta pasarlo bien.

....

3. Lo más importante para Sergio es su familia.

....

4. Puedes confiar en Nacho.

....

5. Maribel nunca se enfada.

....

6. A Óscar le molesta esperar.

....

7. A Lucas le encanta estar con sus amigos.

....

8. Todo el mundo habla bien de Estrella.

....

19

Sustituye lo marcado en negrita por **quien** o **quienes** cuando sea posible.

1. El señor Ibañez es el cliente para **el que** hemos diseñado este producto.

....

2. Mira, es Mónica, la chica de **la que** te hablé.

....

3. Los Martínez son los vecinos **que** han avisado a la policía.

....

4. ¿Gabriela Mistral? Es la escritora chilena a **la que** le dieron el Nobel de Literatura en 1945.

....

5. Sofía y su marido son los abogados con **los que** más me gusta trabajar.

....

6. He visto a las chicas **que** te llamaron el otro día.

....

7. Buscamos personas a **las que** no les importe viajar mucho.

....

20

Piensa en una persona que te cae bien y en otra que te cae mal. Escribe cosas sobre ellas utilizando frases de relativo con preposición (**a la que**, **con la que**, etc.) como las de la actividad anterior.

 21

Completa las frases de manera lógica.

1. Quiero aprender a cantar, aunque ....
....

2. Quiero aprender a cantar. Por eso, ...
....

3. Me interesa mucho el arte prehispánico, aunque ....
....

4. Me interesa mucho el arte prehispánico. Por eso, ...

5. Si te digo la verdad, lo que me apetece es descansar, aunque ....
....

6. Si te digo la verdad, lo que me apetece es descansar. Por eso ....
....

 22

Haz una lista en tu cuaderno de seis personas, cosas y lugares que te gustan, pero destaca algún inconveniente utilizando **aunque**.

Me gusta mucho ir a la plaza de San Nicolás, aunque suele haber demasiados turistas.

23

¿Cómo reaccionas en estas situaciones?

1. Si otro estudiante copia tus respuestas en un examen
....

2. Si tu compañero de piso no hace las tareas de casa que habéis pactado
....

3. Si tu pareja te critica por algo delante de otras personas
....

4. Si después de cenar en un restaurante no tienes dinero suficiente para pagar
....

ARCHIVO DE LÉXICO

24 🔊 **56-58**

Escucha estas conversaciones y contesta las siguientes preguntas.

1. ¿De qué conoce Alicia a Alfredo? ¿Cómo conoció Clara a Sonia? ¿Se conocen Alicia y Clara?

....
....
....

2. ¿De qué conocen a Eduardo? ¿Cuánto hace que lo conocen?

....
....
....
....

3. ¿Dónde se conocieron Clara y Antonio? ¿Cuánto tiempo hace?

....
....
....
....

25

Elige una de las conversaciones anteriores y transcríbela completa en tu cuaderno. ¿Qué cosas te llaman la atención?

26

Marcos habla con una amiga de otras personas que conoce. Completa las frases.

- conocí
- misma
- mismo
- internet
- conozco
- del
- nos conocemos
- desde hace

1. Este es Julio, mi mejor amigo. Trabajamos en la .... empresa .... muchos años.

2. A Inés la .... de toda la vida. Es una amiga .... colegio.

3. A Ruth la conocí en un curso de yoga. Íbamos al .... gimnasio.

4. A Stephan lo .... cuando estuve viviendo en Roma. Compartimos piso durante unos meses.

5. Silvia y yo .... desde hace 10 años, más o menos. Coincidimos en la universidad.

6. Paolo y yo nos conocimos por .... y después hicimos varios viajes juntos.

27 👥

Enséñale a un compañero fotografías de personas importantes para ti y cuéntale qué relación tienes con ellas y desde cuándo os conocéis.

❝ Esta es mi mejor amiga. Se llama Miriam y es argentina, de Buenos Aires... ❞

28

¿Tienes algún miedo o fobia? Completa la tabla y coméntala con un compañero.
Si lo prefieres, puedes hablar de alguien que conoces.

Fobias	¿Cómo actúas?
Tengo vértigo.	Cuando estoy en un piso alto, intento no mirar hacia abajo y me agarro a algo.

29

Señala con cuáles de los adjetivos del recuadro puedes usar **un poco** (S) y con cuáles no (N).

- callado/a S
- impaciente
- amable N
- tímido/a
- creativo/a
- gracioso/a
- nervioso/a
- sociable
- lento/a
- hablador/a
- serio/a
- especial
- raro/a
- aburrido/a
- divertido/a
- pesado/a
- agradable
- expresivo/a

30

Describe a dos de estas personas. Puedes usar los adjetivos anteriores o añadir otros.

Tu antiguo profesor de español
Tu mejor amigo/a
Tu actual compañero/a de piso
Tu primer/a novio/a

Mi anterior profesor de español,
Manuel, era una persona muy
amable, pero bastante serio y un
poco tímido. No se reía mucho
pero explicaba muy bien.

31

Describe a dos compañeros de clase. No digas de quién hablas, los demás tendrán que adivinar quién es.

32

¿Conoces a alguien de quien puedas decir esto? Explica por qué.

1. Es un/a pesado/a.

2. Es un/a histérico/a.

3. Es un/a egoísta.

4. Es un/a maleducado/a.

5. Es un/a tacaño/a.

6. Es un/a desconfiado/a.

7. Es un/a cobarde.

8. Es un/a falso/a.

66
Mi cuñado. No te deja hablar.
En las comidas familiares, por
ejemplo, solo habla él... 99

33

Agrupa estas palabras según sean sustantivos, adjetivos o verbos.

- **desconfiado**
- **enfadarse**
- **dar las gracias**
- **gritar**
- **mantener la calma**
- **sincero**
- **familiar**
- **discutir**

- **sonreír**
- **pareja**
- **discreto**
- **maleducado**
- **miedo**
- **conocido**
- **dar la razón**
- **amigo**

- **pelearse**
- **pesado**
- **vergüenza**
- **dialogar**
- **sociable**
- **inflexible**
- **dar importancia**

Sustantivos	Adjetivos	Verbos

34

¿Puedes añadir palabras para cada categoría?

VÍDEO

campus.difusion.com

35

Revisa la lista de expresiones con la palabra **nada** que aparecen en el vídeo.

- Ahora entra en la página del Corpus del español del siglo XXI, publicado por la Real Academia Española, y que recoge producciones de hablantes nativos.
- Escribe la palabra **nada** en el campo "lema" y pulsa el botón de búsqueda.
- Selecciona cinco resultados que te parezcan interesantes y anótalos.
- ¿Entiendes el significado de **nada** en cada uno de ellos?

1. Nada, que estoy enamorado de ella.

2.

3.

4.

5.

6.

36

En parejas, vais a inventar un nuevo diálogo para doblar el vídeo. Podéis ver el vídeo en pequeños grupos, pararlo cuando sea necesario, contar cuántas veces habla cada uno, etc. y redactar el nuevo diálogo. Luego, ensayadlo con el vídeo sin sonido. Al final, proyectad el vídeo sin sonido y dobladlo para el resto de la clase. Podéis escoger el más divertido, original, creíble, etc.

Ella:

Él:

Ella:

Él:

Ella:

Él:

Ella:

Él:

Ella:

Él:

Ella:

Él:

Ella:

Él:

Ella:

Él:

Ella:

Él:

Ella:

Él:

Ella:

Él:

Ella:
Gracias.

Él:
De nada.

VER, LEER Y ESCUCHAR

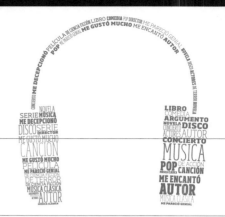

01
UNA PELI GENIAL

1

Piensa en el título de una película o serie para cada categoría. ¿Sabes el título en español? Imagina cuál puede ser y confírmalo en internet.

1. Una película entretenida:

....

2. Una película de animación:

....

3. Una película de acción:

....

4. Una película de terror:

....

5. Un documental interesante:

....

6. Una película de cine de denuncia:

....

7. Una comedia que me hizo reír:

....

8. Una película de cine fantástico:

....

9. Una película que me ha emocionado:

....

10. Una película que me ha hecho pensar:

....

2

Habla con tus compañeros para saber si han visto alguna de las películas o series anteriores. Si no conocen alguna, dales información: argumento, director, actores…

3

Sin leer de nuevo el texto de las páginas 148-149 del Libro del alumno, intenta recordar qué dice de la película *El secreto de sus ojos*.

1. Del argumento

Hay una historia de amor.

....

2. De la película

Es lenta.

....

....

4

Ahora vuelve a leer el texto y añade la información que falta.

5

Busca en el texto las siguientes frases. ¿Las entiendes? Tradúcelas a tu lengua.

	En mi lengua
Es una película de culto.	....
Es la película más taquillera del cine argentino.	....
Ha recibido muchos galardones.	....
Es una obra redonda.	....
No se merecía el Óscar.	....
Tiene una trama inquietante y un final inesperado.	....
Tiene un sentido del humor muy fino.	....

6

Hablad de cine o series en grupos de cuatro. Por turnos, cada uno escoge una de las siguientes opciones. Los demás tienen que reaccionar a lo que ha dicho el primer compañero y seguir la conversación.

1. Un serie comercial, pero buena.
2. Un buen actor para una mala película.
3. Una comedia romántica para pasar una tarde de domingo.
4. Una película que has visto muchas veces.
5. Una película insoportable.
6. Un actor o actriz que te gusta.
7. Un director que te gusta.
8. Una serie que nadie puede perderse.

7 59-61

Escucha a tres personas que hablan de películas o series y contesta en tu cuaderno las siguientes preguntas para cada una.

1.	2.	3.
1. ¿Cómo se titula la serie o la película?	1. ¿Cómo se titula la serie o la película?	1. ¿Cómo se titula la serie o la película?
2. ¿De qué trata?	2. ¿De qué trata?	2. ¿De qué trata?
3. ¿Le gustó?	3. ¿Le gustó?	3. ¿Le gustó?
4. ¿Por qué?	4. ¿Por qué?	4. ¿Por qué?
5. ¿La recomienda?	5. ¿La recomienda?	5. ¿La recomienda?

8 59-61

Escucha otra vez y marca si los hablantes hacen estas afirmaciones.

	V	F
1. *Los Soprano* tiene una trama difícil de seguir.	☐	☐
2. *La La Land* combina dos géneros cinematográficos.	☐	☐
3. *Juego de tronos* es la serie más interesante de la HBO.	☐	☐
4. *Los Soprano* y *Juego de tronos* tienen cosas en común.	☐	☐
5. *La La Land* es un poco cursi.	☐	☐
6. El secreto de *Juego de tronos* está en el vestuario y los actores.	☐	☐

9 59-60

Escucha una última vez las dos primeras conversaciones y anota con qué palabras se expresan estas ideas.

1. No podía dejar de ver la serie.

2. Es uno de los aspectos positivos de *La La Land*.

3. Hace que sea verosímil.

4. Si tienes ganas de pasarlo bien...

10

Haz una encuesta entre personas de tu entorno sobre qué películas y series han visto en español y qué opinión tienen de ellas. Comparte la información con tus compañeros.

11

Escribe el nombre de una película, un libro o cualquier tipo de producto cultural debajo de cada comentario. ¿Están de acuerdo tus compañeros con tu elección?

El guion es flojo:

Está muy bien escrito/a:

La historia es muy impactante:

Las letras son buenísimas:

El tema está muy visto:

No es nada del otro mundo:

—A mí me parece que el guion de *Lincoln* es flojo.
—A mí también. Me aburrió mucho.

12

Algunas personas te piden ideas. Escribe tus sugerencias y justifícalas.

1. Tengo invitados a cenar. Y necesito un plato fácil de hacer, que guste mucho. ¿Qué me recomendáis?

Yo te recomiendo que

2. Me gustaría ver una comedia entretenida para pasar la tarde. ¿Alguna sugerencia?

Yo te recomiendo

3. Quiero llevar a unos amigos a un lugar interesante.

Yo te recomiendo que

4. Me encanta hacer senderismo. ¿Dónde podría ir?

Yo te recomiendo

5. Este fin de semana se quedan en mi casa los hijos de unos amigos, de 7 y 10 años. ¿Qué hago con ellos?

Yo te recomiendo que

13

¿Qué recomendarías en cada caso? Anótalo y luego conversa con un compañero.

Un café en una ciudad	Una serie de televisión

Una playa	Una tienda de ropa

Un sitio para bailar	Un lugar para descansar

14

Escribe un problema en un papel y pide a tus compañeros que te hagan recomendaciones. Anótalas, decide cuál te parece mejor y explícalo en clase.

Problema: Unos amigos me han pedido que cuide a sus hijos, pero son insoportables.

1. Me han recomendado que tenga paciencia.

2. Me han recomendado que alquile películas de dibujos animados.

3. Me han recomendado que no me quede en casa con ellos.

4. Me han recomendado que compre pizza.

5. Me han recomendado que diga que estoy enfermo/a.

15

Fíjate en estos carteles. Entre todos, haced hipótesis sobre las películas que anuncian. Después, comprobad en internet si habéis acertado.

—*Yo diría que...*
—*Parece que...*

—*Trata sobre...*
—*Va de...*
—*Cuenta la historia de...*
—*Es una historia que sucede en...*

¿Sabes a qué película se refiere cada una de estas fichas?

1. Fue un éxito de público.
2. Se estrenó en 2015.
3. Al protagonista le dieron el óscar al mejor actor.
4. Cuenta la historia de una venganza.
5. Es una película dramática basada en hechos reales.
6. Está ambientada en el año 1820, en el salvaje Oeste.
7. Está dirigida por Alejandro González Iñárritu.
8. Está rodada en escenarios naturales.
9. Es una película bastante violenta.
10. Está protagonizada por Leonardo di Caprio.

a. ....

1. Fue un éxito de público.
2. Se estrenó en 2016.
3. La historia tiene lugar en Estados Unidos.
4. Es una historia de amor.
5. Ocurre en la actualidad.
6. Trata de la relación entre dos artistas.
7. Su director ganó el óscar al mejor director.
8. Es un musical cantado en inglés.
9. Está inspirada en las películas musicales de Hollywood.
10. Está protagonizada por Ryan Gosling y Emma Stone.

b. ....

Escoge dos películas y escribe en dos hojas dos fichas como las anteriores. En clase vais a jugar a adivinar los títulos que habéis pensado.

Reglas del juego
Se forman dos equipos y cada equipo junta sus fichas. Una persona de un equipo coge una ficha del mazo del otro equipo y lee uno a uno los 10 indicios. Su equipo debe adivinar el título de la película en el menor número de pistas posible. Luego es el turno del otro equipo. La pista 1 vale diez puntos y la 10, uno.

FICHA 1

EQUIPO: ....

1. ....
2. ....
3. ....
4. ....
5. ....
6. ....
7. ....
8. ....
9. ....
10. ....

FICHA 2

EQUIPO: ....

1. ....
2. ....
3. ....
4. ....
5. ....
6. ....
7. ....
8. ....
9. ....
10. ....

18

Lee la sinopsis de cuatro de las mejores películas españolas del siglo xx y anota a qué película corresponde cada afirmación.

Viridiana (1961), de Luis Buñuel.

Don Jaime, un viejo caballero español, vive retirado y solitario en su hacienda desde que murió su esposa, el mismo día de su boda. Un día recibe la visita de su sobrina Viridiana, novicia en un convento, que se parece mucho a su mujer. Viridiana va a despertar en Don Jaime el deseo que ha tenido siempre oculto. Considerada una obra genial, la película muestra en tono de humor la represión de la sociedad franquista a través de escenas surrealistas en las que Buñuel juega con el simbolismo para escapar a los cortes de la censura. De hecho, Buñuel tuvo que cambiar el final para que la película se estrenara en España. Ganó una Palma de Oro en Cannes.

Carmen (1983), de Carlos Saura.

Antonio, el director de una compañía de baile, decide hacer una versión flamenca de la ópera *Carmen*, de Bizet. Durante los ensayos, se repite el mismo triángulo amoroso que aparece en la ópera entre Antonio, la bailaora que hace de Carmen y el bailaor que representa al torero Escamillo. Como en la obra original, la historia termina en tragedia. La realidad y la ficción se entremezclan en esta película sin que el espectador pueda identificar claramente qué es ficción y qué es realidad. Ganadora de varios premios y nominada al Óscar, es una película que cuida especialmente la estética, por lo que cuenta entre sus actores con bailarines de un talento excepcional.

El verdugo (1963), de Luis García Berlanga.

José Luis, el empleado de una funeraria, se casa con Carmen, hija de Amadeo, el verdugo de Madrid, que va a jubilarse pronto. José Luis, presionado por su mujer y su suegro, se ve obligado a solicitar el puesto de verdugo que Amadeo deja libre al jubilarse para ocupar el piso que suele darse a los verdugos. Desde ese momento vive entre la esperanza de que en España no haya más pena de muerte, y así no tener que matar a nadie, y el temor de que lo avisen para realizar su trabajo. Finalmente, tiene que ir a Mallorca para ejecutar a un condenado. Esta película, filmada en un tono de humor negro, es una crítica a la España franquista, tanto a sus leyes como a la actitud de aceptación política por parte de los ciudadanos. Fue considerada mejor película en la Muestra de Venecia en 1963.

Mujeres al borde de un ataque de nervios (1988), de Pedro Almodóvar.

Iván ha roto con Pepa, tras una relación de años. Él le ha dejado un mensaje en el contestador diciéndole que irá a recoger sus cosas pronto. Pepa descubre que está embarazada y busca como loca a Iván para decírselo, pero no lo encuentra. Mientras, Candela, una amiga de Pepa, también busca desesperadamente a Pepa, para contarle sus propios problemas. Finalmente se ven en la casa de Pepa, donde coinciden casualmente con el hijo de Iván y con su novia, que quieren alquilar el ático que Pepa ha puesto en alquiler. La historia se complica cuando la exmujer de Iván intenta también encontrar a Iván. Comedia de enredo, que consiguió varios premios Goya y el Óscar a la mejor película de habla no inglesa, *Mujeres* ha sido una de las películas de más éxito del cine español.

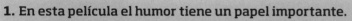

1. En esta película el humor tiene un papel importante. ☐
2. El/la protagonista de la historia vive angustiado/a esperando una noticia. ☐
3. El/la protagonista de la historia recibe una noticia que debe contarle a otra persona. ☐
4. Las tranquilas costumbres de este personaje cambian inesperadamente. ☐
5. La película tiene un final desgraciado. ☐
6. El guion original era diferente al de la película que el público vio. ☐
7. Es una película de denuncia, aunque en clave de humor. ☐

19

Decidid en clase de qué cuatro películas queréis escribir una sinopsis. Individualmente, busca en internet el argumento de una de ellas y haz un pequeño resumen siguiendo los modelos anteriores.

20

Agrupaos en función de la película que habéis elegido, comparad vuestras sinopsis y cread una versión común.

02
MI VIDA EN CANCIONES

 21

Prepara una presentación sobre tu relación con la música.

¿Juega un papel importante la música en tu vida?
¿Cuáles son los géneros que más escuchas?
¿Cuánto tiempo le dedicas a la música?
¿Y tus amigos?

 22

Lee dos veces el texto introductorio de la página 152 del Libro del alumno y cierra el libro. ¿Recuerdas qué palabras faltan?

¿Quién no tiene unas cuantas canciones que le ponen la .... de gallina, que lo ponen .... o que le dan ganas de ponerse a ....?

Muchas de ellas simplemente nos gustan; otras muchas nos .... momentos importantes: experiencias intensas, un .... amor, una que no volverá...

Como cada .... tiene su música, hemos elegido a personas de edades diferentes para que nos hablen de las canciones de su ....

 23

Fíjate en las expresiones en las que aparece el verbo **poner/ponerse** en el texto de la actividad anterior. ¿Cuáles tienen los siguientes significados?

1. empezar a bailar:

....

2. sentir escalofríos, estremecerse:

....

3. sentir tristeza:

....

 24

En tu país, ¿qué canción o canciones podrían elegir personas de tres generaciones diferentes? ¿Por qué? Escribe una cita para cada una como las de la página 153.

	Canción	Cita
1. Alguien de 58 años		
2. Alguien de 37 años		
3. Alguien de 21 años		

 25

¿A qué género musical corresponden estas definiciones?

1. ....
Género musical surgido en Estados Unidos en la década de 1950 de la combinación de dos géneros anteriores: el *rhythm and blues* y el country, aunque también tiene influencia del blues y el folk. El instrumento central es la guitarra eléctrica, normalmente como parte de un grupo con cantante, bajo y batería. Como la música, las letras hablan a menudo del amor romántico, pero también tratan temas sociales o políticos.

2. ....
Tipo de recitación rítmica de rimas y juegos de palabras surgido a mediados de la década de los 80 entre la comunidad afroamericana de los Estados Unidos. Aunque puede cantarse a capela, va normalmente acompañado por un fondo musical rítmico conocido como *beat*. Los intérpretes son los MC (maestros de ceremonias). Las letras suelen tratar temas sociales y políticos y tienen un carácter reivindicativo.

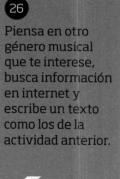 **26**

Piensa en otro género musical que te interese, busca información en internet y escribe un texto como los de la actividad anterior.

27 🔊 62-66

Vuelve a escuchar a estas personas hablando de canciones que les gustan y completa cada transcripción.

1.

– Una canción que me gusta mucho y que..de una etapa de mi vida es "Pongamos que hablo de Madrid", de Joaquín Sabina...en la que, con una colega, hicimos un viaje, y en ese viaje solo teníamos un casete. En la época había casetes, cintas. Y lo estuvimos escuchando....................... ....Es una canción que habla de Madrid, es una canción muy bonita, y cuando la escucho, ahora, siempre ....esa época, en ese viaje, que para nosotras fue muy importante, profesionalmente fue muy importante y, bueno, de alguna manera fue la entrada en la edad adulta, en la vida profesional.

2.

– Otra canción que me gusta mucho es "Sin documentos", de Los Rodríguez, que...la adolescencia pasada y con las primeras veces que uno sale por la noche, y todo es muy emocionante. Épocas divertidas y de mucha novedad. Y también la asocio..

3.

– Sí, pues hay una canción de un grupo de rap cubano que se llaman Los Aldeanos... Esta canción, bueno, es una canción que se llama "Mi Habana" y está efectivamente dedicada a La Habana y..............................., bueno, pues de todos los problemas de mi país, de las cosas que no van bien, de las cosas que podrían ir mejor, y denuncia un poco realidades que muchos cubanos y que el mundo no conoce y bueno, nada, por eso realmente la escucho muy a menudo, porque............................ ....mi país, ...justamente en esas razones que hicieron que también yo emigrara, y me parece una canción, vamos, profunda, bien pensada y, al mismo tiempo, musicalmente, pues..., bonita.

4.

– Una canción..es "Tunnel of love", de los Dire Straits, ya que me recuerda la primera vez que me enamoré. Eh... escuchaba esa canción...................................... **y** pensando en esa chica. Cada vez que la escucho, ...la piel de gallina.

5.

– Pues, mira, una canción importante para mí es "Stairway to Heaven", de Led Zeppelin, porque... bueno,......................... ....esa canción o cuando, mejor dicho, cuando la escucho,......................... ....la primera vez que la escuché, que estaba en un momento de mi vida un poco así difícil y no estaba muy seguro de lo que quería hacer, y de todo lo que iba a pasar después y... bueno....................................... Y entonces, en ese momento, esa canción pues era algo frecuente en mi vida, es decir, la escuchaba mucho, y cada vez que la vuelvo a escuchar pues me acuerdo de toda esa época.

28

Escribe varios textos como los de la página 153, pero referidos a otro tema (coches, deportes, moda, arte...). Puedes pensar en temas distintos para cada generación.

29

Completa las frases con las formas del recuadro y luego escribe de qué pueden estar hablando en cada caso.

- **gustó (x2)**
- **gustaron**
- **encantó**
- **encantaron**
- **pareció**
- **parecieron (x2)**

1. No me *parecieron* buenos para Antonio. No estudian casi nada.

Hablan de: *sus amigos*

2. Me .... demasiado lenta, pero salen unos paisajes preciosos.

Hablan de: ....

3. Me .... muy agradables. Se parecen mucho a él.

Hablan de: ....

4. Me .... mucho. Es muy suave y cremoso.

Hablan de: ....

5. Me .... ¡Gracias por comprármelos!

Hablan de: ....

6. Me .... Está muy bien conservada y el caso antiguo es precioso.

Hablan de: ....

7. No me .... nada. Tienen demasiado sabor a mar.

Hablan de: ....

8. No me .... demasiado. La música no estaba bien y las copas eran caras.

Hablan de: ....

30

Escribe en la tabla la última cosa de cada categoría que has probado, visto o conocido y escribe tu impresión. Después, coméntalo con dos compañeros y anota sus respuestas.

	Mi impresión	Compañero 1	Compañero 2
Una comida	el pulpo	No me gustó.		
Una bebida				
Un concierto				
Un bar				
El/la novio/a de alguien				
Un lugar				
Una película				

El otro día probé el pulpo y no me gustó. Tiene un sabor raro... 🙶

31 ◀ **67-69**

Escucha a estas personas hablando sobre sus habilidades. Marca quién dice estas cosas.

	1. Candela	2. Hugo	3. Darío
1. Juega al tenis bastante bien.	☐	☐	☐
2. Se le da mal hablar en público.	☐	☐	☐
3. No sabe montar en bicicleta.	☐	☐	☐
4. Es un desastre para las matemáticas.	☐	☐	☐
5. Sabe reparar las averías de casa.	☐	☐	☐
6. Habla bastante bien árabe.	☐	☐	☐
7. Sabe escuchar.	☐	☐	☐
8. Se sabe todas las canciones de Los Beatles.	☐	☐	☐
9. Es bueno cocinando.	☐	☐	☐

32

¿**Saber** o **saberse**? Completa las frases con el verbo que corresponda en la forma adecuada. Añade pronombres y otras palabras si es necesario.

1. Mario.. todas las canciones de Javier Ruibal.

2. ¿.. que Pilar está embarazada?

3. Yo ya .... que no quieres ver a Irene, pero deberías llamarla.

4. He oído tantas veces ese discurso que ya .... de memoria.

5. ¿Tú.. chino?

6. Mi hijo tiene siete años y ya .... de memoria las capitales de Europa.

7. Es importante que la gente .... qué sucedió de verdad.

33 ◀ **70**

Una persona habla sobre el grupo Los Rodríguez. Escucha y contesta las preguntas.

1. ¿De dónde viene el nombre?

....

....

2. ¿Cuándo se formó?

....

....

3. ¿Qué tipo de música hacían?

....

....

4. ¿Qué influencias tiene su música?

....

....

5. ¿Qué problemas llevaron a la separación del grupo?

....

....

....

34

Fíjate en este gráfico sobre los hábitos y los gustos musicales de los mexicanos. Escribe cinco frases sobre ellos. Puedes utilizar los recursos que aprendiste en la unidad 9.

Géneros musicales

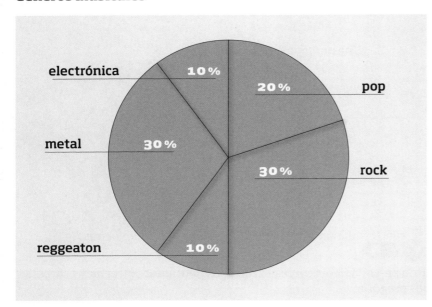

Tiempo dedicado a la música

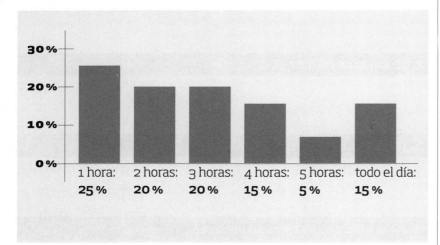

35

¿Cómo crees que sería este gráfico en tu país? Dibújalo en tu cuaderno.

Géneros musicales

Tiempo dedicado a la música

ARCHIVO
DE LÉXICO

36

¿Qué son para ti las siguientes cosas? Coméntalo con tus compañeros y tu profesor.

Un profesor excelente: ....

....

Un sabor increíble: ....

....

Un trabajo fabuloso: ....

....

Una persona maravillosa: ....

....

Una casa genial: ....

....

Una persona superinteresante: ....

....

37

Marca cuáles de los siguientes nombres y adjetivos pueden combinarse. Luego, coméntalo con tus compañeros y tu profesor.

	una escultura	un tiempo	un vecino	un reloj	un tema	un coche	un paisaje
1. horrible	☐	☐	☐	☐	☐	☐	☐
2. espantoso/a	☐	☐	☐	☐	☐	☐	☐
3. insoportable	☐	☐	☐	☐	☐	☐	☐
4. inaguantable	☐	☐	☐	☐	☐	☐	☐
5. pesado/a	☐	☐	☐	☐	☐	☐	☐

38

¿En qué te hacen pensar estas cosas? Coméntalo con un compañero.

Una escultura espantosa	Un tiempo horrible

Un vecino insoportable	Un tema pesado

Una persona inaguantable	un paisaje espantoso:

'Una escultura espantosa' me recuerda una escultura que hay cerca de mi pueblo. Es como una roca enorme con forma de...

39

Piensa en una cosa que encaje en cada una de estas categorías y explícales a tus compañeros por qué la has escogido.

1. Una cosa que te recuerda tu infancia:

....

2. Una que te hace pensar en alguien a quien quieres mucho:

....

3. Algo que asocias con un momento importante de tu vida:

....

4. Algo que te pone la piel de gallina:

....

5. Una película que es importante para ti:

....

6. Un disco que asocias con una persona:

....

7. Una cosa que te pone de buen humor:

....

8. Algo que te hace sentir bien:

....

40

Escoge la opción correcta en cada caso.

1. Esa canción **me da** / **me dan** ganas de ponerme a bailar.
2. Cuando escucho esa canción, **me da** / **me dan** ganas de ponerme a bailar.
3. Ayudar a los demás **me hace** / **me hacen** sentir bien.
4. Algunas personas **me hace** / **me hacen** sentir que soy importante.
5. Alberto y sus manías **me pone** / **me ponen** nervioso.
6. Las personas que no escuchan **me pone** / **me ponen** de mal humor.

41

Completa las frases con la forma correcta del verbo entre paréntesis.

1. Cuando me enteré de lo que había pasado, (darme) .... ganas de llorar.
2. No puede escuchar a Beethoven. (Hacerle) .... pensar en una época dura de su vida y (ponerse) .... triste.
3. A Sebas, esta melodía (traerle recuerdos) .... de un antiguo amor.
4. Elena (sentirse) .... fatal cuando le dijiste que te ibas.
5. Hay cosas que (hacernos sentir) .... que estamos vivos.

campus.difusion.com

VÍDEO

42

¿Recuerdas el vídeo de la unidad? Por parejas, reconstruid el argumento y escribidlo aquí.

43

Volved a ver el vídeo y anotad el número de veces que interviene cada personaje. Luego, escoged una de estas dos opciones.

Opción A (EN PAREJAS)

- Vais a inventar diálogos entre los dos protagonistas.
- Repartíos los personajes.
- Inventad los nuevos diálogos.
- Reproducid el vídeo sin sonido con vuestros diálogos.

Opción B (EN GRUPOS)

- Vais a representar el corto.
- Fijaos en las actitudes de los personajes secundarios. Luego, en grupos, preparad la representación del corto en clase: repartid los papeles y ensayad los diálogos, teniendo en cuenta la entonación y el lenguaje corporal.
- Representad la escena.
- Podéis grabar la escena en vídeo y luego decidir qué grupo ha actuado mejor.

44

Entre todos, comentamos qué diálogos nos parecen más conseguidos y por qué, y qué aspectos positivos y mejorables encontramos en la representación de los compañeros.

Si quieres consolidar tu nivel **B1**, te recomendamos:

GRAMÁTICAS

Gramática básica del estudiante de español

Cuadernos de gramática española A1-B1

PREPARACIÓN PARA EL DELE

Las claves del nuevo DELE B1